여자이고 싶은 여자의

켈트니스 다이어트

여자이고 싶은 여자의

켈트니스
다이어트

여성 전문 트레이너로서의 외길 25년… 정말 열심히 살아왔다.

전국 벨리댄스를 관장하는 협회장으로서, 인기 벨리댄서로서, 인기 강사로서 한창 최고의 주가를 달릴 무렵 가끔 이런 말을 들었었다. 자서전을 써 보는 것이 어떻겠느냐고. 그때마다 난 그랬었다. '아직은 아닌 것 같다.'라고. 우연히 '1인 1책'의 김준호 대표님을 만난 것이 계기가 되었다. 1년여의 시간을 거치며 최선을 다해 비로소 내 생애 첫 책을 가지게 된 지금, 그저 너무나 기쁘고 보람을 느낄 따름이다.

다이어트… 비만… 이 시대 여성들의 최대 관심사이지만 쏟아지는 정보의 홍수 속에서 여성들의 건강에 맞는, 쉽고 효과적인 다이어트 방법을 찾는 것이 너무나 어려운 현실이다. 다이어트는 쉽고 간단하며 꾸준해야 한다. 나는 이러한 다이어트 방법을 찾아내고자 삶의 현장에서 부단히 연구해왔고 그 결과 성공적인 다이어트를 위해서 우선적으로 확실한 동기가 필요하다는 사실을 절실히 깨닫게 되었다. 동기가 확실한 다이어트의 성공률은 그렇지 않은 경우와 비교해 볼 때 매우 높다. 그러므로 어떻게 해야 확실한 동기를 찾을 수 있을까 고민하는 작업이 우선적으로 꼭 필요한 것이다. 나는 내 아픔의 정체를 알게 됨으로써 내가 다이어트를 해야 하는 확실한 이유를 알게 되었다.

대부분 자신의 심적인 스트레스나 고통을 먹는 것으로 해소한다. 그리고 이렇게 무작정 먹은 음식은 비만이나 질병이 되어 더욱 큰 스트레스가 되며 자존감을 더욱 떨어지게 하는 이유로 내게 돌아와 버린다. 그러므로 이제부터 내 마음속의 아픔을 먼저 찾아내고 치료하며 자존감을 회복시키기 위한 근본적인 다이어트가 필요한 것이다.

자신의 아픔이 무엇인지 발견하게 되면서 진정으로 자신을 사랑하게 되는 마음 또한 가질 수 있다. 이것이 자신의 건강한 다이어트를 성공적으로 이끌게 되는 동기가 된다.

처음엔 그저 여성들에게 펠트니스의 우수함과 운동법을 알리고 싶었다. 도서관 의자에 멍하니 앉아 책의 맨 처음 나오는 구절을 뭐라 할지 한참을 생각했던 결과가 '아들만 둘이에요…'라는 문장이었다. 나는 이 문장이 내 생애 첫 책의 서두를 장식하게 되리라고는 정말 생각지도 못했다. 여자로 태어난 사실이 내 잠재의식의 첫 번째 숨겨진 아픔이었던 것이다. 결혼과 출산 그리고 화려한 직업 속에 감춰졌던 외로움과 아픔 속에서 헤매던 내가 몸을 건강하고 아름답게 만드는 작업, 펠트니스 운동으로 극복하고 치료해 나가는 과정을 이 책에서 진솔하게 고백하였다. 처음에는 나의 과거를 드러내는 것이 부끄러워 망설이기도 했지만, 이제는 보다 많은 여성들이 나의 경험을 통해 행복한 삶을 누리기를 진심으로 바라는 마음으로 이 책을 전한다. 이젠 몸도 맘도 많이 단단해진 것 같다. 운동과 다이어트는 질병을 치료하고 예방하는 가장 좋은 방법임을 내 몸이 일깨워주었으니 정말로 감사할 따름이다. 앞으로도 여성을 보다 건강하고 아름답게 만들 수 펠트니스 연구를 위해 강연 현장에서도 도서관에서도 많은 날을 보낼 것 같다. 내 나이 51세. 여자로서 많은 나이이지만 나이를 먹으면서 더욱 아름다워지는 여자의 모습을 연구하고 또 실천함으로써 지금 나이가 있는, 또한 앞으로 나이를 먹을 젊은 여성들의 좋은 본보기가 되고 싶다. 이는 어려 보이려고 애쓰는 안쓰러운 모습이 아니며 나이에 연연하지 않는 건강하고 당당한 진실한 모습이다.

정말 부족하지만 치열한 삶의 세월을 통해 얻은 나의 소중한 지혜가 여성들에게 보다 행복하고 건강한 삶을 선물할 수 있었으면 한다. 이 책을 집필할 수 있도록 도와주신 모든 분들께 진심으로 감사함을 드리며, 또한 이 책의 모든 영광을 하나님께 바친다.

여자이고 싶은 여자 추민수

C·O·N·T·E·N·T·S

PART 2 펠트니스 스토리

PART 3 펠트니스로 조여라

PART 4 기적의 펠트니스 운동법

PART 5 펠트니스 성공기

PART 6 펠트니스 다이어트 Q&A

PART 7 펠트니스 체험기·추천사

PART 1

나의 스토리

첫번째 이야기,

외로움으로 선택한 결혼
그리고 찾아온 우울증

* 두 아들과 함께

"아들만 둘이에요."

나의 이런 대답과 동시에 셋 중 한분은 꼭 이런 말을 하신다.

"어머나. 딸이 없으니 외로워서 어떡해…."

"???"

* 어린 시절의 6남매 가족

   난 딸로 태어났다. 5녀 1남 중 5녀로. 내 밑으로 남동생이 하나 있다. 나의 출생은 남아선호사상의 끝 언저리쯤이었다.

   아들이길 간절히 바라는 가족들의 염원을 비웃기라도 한 듯 '고추'를 갖고 태어나지 못한 다섯째 딸로서 나의 출생은 그야말로 우리 가족에겐 슬픔이었다.

   큰아이를 임신했을 때 사람들이 새댁이 왜 그렇게 아들 타령이냐고 할 만큼 나는 '아들, 아들' 타령을 했다. 둘째가 또 아들이라고 했을 때 서운하지 않고 기뻤던 것도, 내게 딸이 없다는 사실이 전혀 아쉽지 않은 것도, 심지어 머지않은 미래에 내심 아들 손주를 보고 싶은 생각을 하는 것도, 딸로 태어나 알게 모르게 받은 상처에서 나온 잠재의식일지도 모르겠다.

나의 성장기는 내 의지와 상관없이 딸로 태어난 막연한 죄책감에 젖어 있었던 시절이었다. 하지만 나의 워낙 낙천적이고 씩씩한 천성 덕분에 그러한 아픔을 그대로 덮어버린 채 살아온 것 같다.

학창 시절 당시 공부에 매진한 덕분에 난 별다른 방황 없이 대학에 진학할 수 있었다. 하지만 어린 시절부터 춤을 좋아하고 춤에 탁월한 재능을 보였던 나의 적성과 관계없이 성적에 맞추어 진학한 전공에 도무지 적응할 수 없었고 또한 여대라는 독특한 특성 또한 나와 맞지 않았다. 그래서인가, 맘에 맞는 친구를 한 명도 사귀지 못했다. 당연히 성적은 좋지 않았고 이런 나를 보는 가족의 눈총은 점점 더 따가워지기만 했다.

지독한 외로움 끝에서 다행히(?) 지금의 남편을 만난 건 하나님의 은혜였다. 남편은 외로움에 지친 나의 유일한 벗이자 전부인 나의 사랑이 되어 주었다. 누가 먼저랄 것도 없이 가족의 거센 반대에도 불구하고 우리는 동거를 시작했으며 2년을 끝으로 나의 무의미하고 외로웠던 여대 시절의 막을 내렸다.

▲ 남편과 신혼 여행
▶ 출산과 육아로 우울증을 앓던 시기, 큰아이와 함께

　　큰아이의 임신, 출산, 육아, 20대 초반의 어린 엄마인 나는 또 다른 시련을 겪었다. 속된 말로 한창 놀 때(?)인 어린 아빠는 퇴근 후 동료들과 어울리며 새벽에 귀가하기 일쑤였으며 나는 매일매일을 기다림 속에 우울증을 앓았다. 음식을 먹지 못해 먹은 음식을 토하기 일쑤였으며 불면증에 시달리고 체중은 자꾸 빠져만 가서 170cm 이르는 키에 몸무게는 45kg이 되지 않을 정도로 말라 갔다. 아이가 잠들면 더욱 밀려드는 외로움에 그것을 잊고자 난 술을 마셨다. 또한, 마시면 토하는 악순환이 계속되었다.

　　요즘 흔히들 말하는 우울증은 그 당시엔 정신병처럼 여겨져 함부로 얘기조차 못 했던 병이었다. 나는 지독한 우울증을 앓았었던 것이다. 세상은 빠르게 돌아가고 나는 아이와 나만의 세계 속에 갇혀 있었다.

두번째 이야기,

심부름대장인 나의 끈질긴 성격

6남매 가운데 인정받고 사랑을 받기 위해서 어린 시절의 난 비교적 현명 했었던 것 같다.

언니들의 생리대 심부름에서 어른들의 담배 심부름까지 도맡았던 나의 별 명은 일명 '심부름대장' 이었다.

심부름의 임무를 명하시거나 완수했을 때 엄마는 내게 "미야~"라고 사랑 스럽게 불러 주시곤 했다. 심부름이란 엄마에게 사랑받을 수 있는 유일한 순 간이었다. 사랑받기 위해 난 악착같이 심부름을 했다.

그 당시 생리대는 약국에서만 판매했었는데 우리 동네에서는 약사 아저씨 와 아주머니께서 약국 영업을 하셨다. 생리대 심부름을 명받은 사춘기 시절 의 나는 아저씨가 카운터에 계실 때면 그곳에서 차마 부끄러워 구입을 못하 고 그럴 때마다 시흥1동에서 멀리 4동까지 아주머니께서 판매대에 계신 약 국을 찾고 찾아 결국엔 꼭 생리대 심부름의 임무를 완수하고야 말았다.

학교 행사가 있었던지 기억이 잘 나진 않지만 학교에서 일찍 하교하고 집에서 빈둥거리고 있던 지독히도 더웠던 한여름의 어느 날이었다. 어머니께서 "미야~~"라고 나를 부르셨다.

'아~ 또 심부름을 시키시려나 보다'

그날 난 멀리 산 중턱에 위치한 언니의 여고에 수첩을 가져다주라는 심부름을 명받았다. 아마도 언니가 잊고 갔을 것이다.

우리 집의 옥상에서 보면 멀리로 관악산 중턱에 위치한 이른바 '언덕 위의 하얀 집'이라 일컬어졌던 언니의 여고가 보였지만 한 번도 가본 적 없고 길도 몰랐던 초등 5학년의 까맣고 빼빼 마른 소녀는 무작정 심부름 길을 떠났다. 무더운 여름이라 기억되는 그때의 더위와 땀은 지금도 생생하게 기억될 만큼 지독했다.

어찌 되었든 여름 비탈길을 돌고 돌아 사람들에게 묻고 물어 몇 시간 후에 겨우 만난 언니에게 난 의기양양하게 수첩을 내밀며 말했다.

"언니, 여기 있어… 수첩!!!"

그때 짜증으로 폭발하듯 튀어져 나온 언니의 말,

"내가 언제 수첩을 가져오랬니? 수첩이 아니라 가사 시간에 쓸 수틀이라구우~!"

아… 엄마가 수틀을 가져오라는 언니의 말을 수첩으로 잘못 들으셨던 것이다. 이상하게도 나는 언니에게 미안해지며 발길을 돌렸다. 지금 생각해도 왜 그때 내가 미안한 맘이 들었는지 정말로 이해할 수가 없다. 지금 언니는 그때 얘기를 하면 미안해 어쩔 줄 모르며 생각이 안 난다고 발뺌(?)하지만 사실인걸…? 후후.

고생스러웠던 심부름 길에 좌절 비슷한 허무함을 느끼며 집으로 돌아온 나는 엄마께 그 사실을 말씀드렸다. 엄마는 바로 내게 말씀하셨다.

"다시 갔다 와~!"

야무지게 내 손에 노란색 보자기에 싼 수틀을 단단히 쥐여주시던 엄마의 손. 순간 난 절망하였다. 차마 뿌리치지 못하고 다시 심부름 길에 오를 수밖에 없었던 내 손에는 아이스크림 하나 사 먹으라고 쥐여주신 50원짜리 동전이 꼭 쥐어져 있었다. 한번 가보아 본 터라 이제는 헤매지 않아도 될 심부름 길이라고 스스로를 위안하며 난 다시 걸었다.

크게 부르던 노래는 다시 가는 심부름 길을 지루하지 않도록 하는 나의 동행이 되어 주었으며 그때 먹었던 포도맛 쭈쭈바는 내 생애 최고의 맛이었다.

'이제는 좋아하겠지?'라는 나의 소박한 기대는 곧 물거품이 되고 말았다.

"이제 소용없어! 가사 시간 다 끝났단 말야. 아이~짜증나!"

아니나 다를까, 가사 시간이 마지막이었는지 교실 안에서는 지금 막 청소를 시작하느라 분주한 모습이었다.

좌절과 허탈감에 그늘진 학교 벽을 기대고 앉았다. 더위에 지치고 허무함에 지쳤다.

뉘엿뉘엿 지는 해는 나를 더욱 처량하게 했다. 그래서일까, 성인이 된 후에도 지는 해를 보면 야릇한 절망감 비슷함을 느끼곤 했다. 물론 지금은 신앙의 힘 덕분에 느끼지 않지만….

이후 학교에서 돌아온 언니의 말은 정말 충격이었다.

"내가 반장인데 말이야. 어떤 삐쩍 마르고 새까만 촌스런 애가 왔는데 반장 동생이냐고 애들이 얘기하는데 창피해 죽는 줄 알았어. 괜히 와서는!!"

그 시절 난 촌스럽도록 피부색은 까맣고 볼품없이 깡말랐었는데 스스로 생각해도 못생긴 모습이었다. 가뜩이나 외모 콤플렉스가 있었던 내게 그야말로 언니의 그 말은 더욱 아픔이 되었다. 지금은 정말 착한 언니가 그땐 왜 그렇게 내게 못되게 굴었는지 모르겠다. 몇째 언니라고 밝히진 않으련다. 혹 비난의 화살을 받게 될까 두렵다. 하하.

이런 지나간 에피소드를 밝히는 이유는 어떻게 보면 서러운 내 어린 시절의 성장 과정이 단단하게 야물어 지금의 지치지 않는 열정의 근원이 되지 않았을까 하는 생각이 들 때가 많기 때문이다.

어린 나이의 결혼과 출산 그리고 육아…. 우울증에 지쳐가며 돌파구가 필요하다는 절박함을 느낄 무렵, 아이를 안고 달리던 택시 창밖으로 에어로빅스 전문 강사 양성기관을 우연히 발견하며 난 인생의 전환점을 맞았다.

* 에어로빅 강사 시절의 대회 출전 모습

　난 잘 걷지도 못하는 아이를 데리고 다니며 악착같이 자격증을 취득하였
고 그때부터 에어로빅스 강사 생활을 시작했다.

　그러나 그 당시의 에어로빅은 뼈대가 얇고 근육이 부족한 나의 체격 조건
에 맞지 않는 너무도 과격한 운동이었다. 하지만 하고자 하는 것은 끝까지
해내고야 마는 끈질긴 성격 때문에 대회까지 출전하며 강사생활을 계속했고
이후 댄스스포츠, 보석감정사, 공인중개사 등의 자격증을 취득하며 나는 자
기계발을 한시도 게을리하지 않았다. 그런 과정 중 둘째 아이를 출산하였고
나의 사회 활동은 계속되었다.

세번째 이야기,

벨리댄스의 정점을 찍다

* 이집트, 터키유학 시절

그러던 중 우연히 접하게 된 벨리댄스로 난 또 하나의 인생의 전환점을 맞게 된다.

아직 국내에 도입되지 않아 배울 곳이 없어 비디오로 공부하며 조금씩 흉내 내던 나의 어설펐던 벨리댄스가 남편의 직장이동으로 잠시 머물던 대전이라는 도시에서 큰 이슈가 되었다.

떠밀리듯 난 정통 벨리댄스 습득을 위하여 작은 종이쪽지 한 장 들고 터키 유학길에 올랐고 이후 이집트 등으로 잦은 유학을 떠났다.

▲ 최고의 밸리댄서를 꿈꿨던 터키 유학 시절
▶ 오리엔탈하우스에서 공연시 함께 공연했던 벨리댄서 '오야'와 함께

    밤새도록 연습에 몰두했다. 당시 벨리 댄스의 메카인 터키에서 유명했던 오리엔탈 하우스라는 관광명소에서는 유명한 벨리 댄서의 공연이 각 나라에서 온 관광객들을 위하여 펼쳐 지고 있었는데 나는 동양에서 온 프린세스 라는 닉네임으로 무대에 서기도 하였다.

▲ CMB 밸리 아카데미
◀ (사) KUDA 실용댄스협회 창단식

　동시에 벨리댄스 1세대로서 국내에서도 선풍적인 인기를 얻게 되었다.

　내 이름을 타이틀로 한 'CMB 추민수 벨리아카데미'가 크게 히트하면서 특히 내가 사는 대전에서는 길거리에서도 사람들이 알아보게 될 정도로 인지도를 얻게 되었고 넘쳐나는 사인 공세에 일류 스타가 된 기분을 느껴보기도 하였다. 연이어 각종 매스컴을 타게 되며, 특히 남편과 함께 출연한 SBS 신년스페셜 〈짝〉이라는 프로그램을 통해 순간검색어 1위에 오르는 경험도 하게 되었다.

　2009년에는 각고 끝에 사단법인 KUDA 실용댄스 협회를 창단하게 되며 전국 10여 곳에 전문 벨리댄스인들을 양성하여 자격증을 교부하는 기관을 관장하게 되었으며, 중국 심양에까지 지부가 생기게 되었다.

　학원에서는 일반 회원들이 줄을 서며 등록하게 되니 회원 수가 수백 명에
이르렀다. 또한 수십 명의 공연단, 전문 강사 반들을 보유하며 명실상부한
최대의 벨리댄스 단체로서 자리매김하게 되었다.

　욕심이 많아서였을까.

　돈, 명성, 젊음, 자상하고 든든한 남편과 귀엽고 착한 아들 둘을 가졌지만
난 항상 무언가에 쫓기듯 불안했고 더욱이 협회장이라는 나의 위치는 가뜩
이나 친구가 없었던 나를 더욱 기나긴 외로움의 터널에서 헤매게 했다.

　믿고 맡겼던 제자에게 수천만 원의 공연의상을 절도 당하는 사건, 잇따른 배신, 여기에 사람들의 입에 오르내리는 입에 담지도 못할 뜬소문들이 떠돌았다. 최고를 지키려는 불안함이 나의 영혼을 갈수록 비틀거리게 하였다.

　거의 매일 술을 마시다시피 했다. 수업이 끝나고 공연이 끝나면, 단원들과 지인들과 음주를 했다. 어쩔 땐 혼자 바에서도, 집에서도 술을 마셨다. 술로 마취된 정신이 외로움과 두려움조차 마취시키기를 바라며 술을 마셨다.

　어린 시절부터 외로움과 함께했기에 단련됐다고 생각했지만, 그것이 가장 깊은 아픔이 되어 나를 계속 누르고 있던 것이다. 나를 가장 화려하게 했고 빛나게 했던 벨리조차 서서히 깊은 아픔이 되며 나는 술에 중독되어가고 있었다.

　도무지 이해할 수 없는 나의 행동에 분노한 남편과의 전쟁 같은 다툼은 하루가 멀다 계속되었다. 이혼위기도 수없이 맞이했었지만, 남편과의 뿌리 깊은 사랑은 그때마다 파탄의 위기로부터 우리를 지켜주었다.

　나는 체질 자체가 감사하게도 살이 잘 찌지 않는 체질이었고 오히려 살찌는 것이 소원이었던 시절도 있었다. 더군다나 벨리댄스를 직업으로 가진 만큼 몸매는 날씬한 편이라고 생각했다.

　하지만 무절제하게 마신 술과 안주는 그대로 복부지방이 되어 나도 모르게 차츰 허리선이 없어지면서 근육이 없는 마른 비만 상태가 되고 소위 필름이 끊겼다고 표현되는 블랙아웃 현상을 여러 차례 경험할 만큼 나의 영혼은 망가지고 있었다.

　기억력이 차츰 떨어지며 우울증이 다시 찾아왔다. 술에 취하면 기분이 좋아지는 건 잠깐, 이후 갑자기 나락에 떨어지는 듯 기분이 나빠지고 폭력적이며 사람들을 적대시 보게 되는 것을 느꼈다. 여전히 사업은 유지되고 인지도도 떨어지지 않았지만, 눈만 뜨면 난 불행하기만 하였다.

　거듭되는 술자리에 사람들은 술에 취해 호방하고 유쾌한 나를 좋아하였고 술자리는 더욱 늘어만 갔다.

갈수록 버석해지는 피부와 머릿결, 짙은 화장과 미용기술에 가려 사람들은 눈치채지 못했지만 늘어가는 나이와 뱃살만큼이나 나 자신에 대한 자괴감도 늘어 갔다.

가면 속의 나.

혼자 있을 땐 한없이 초라해지고 가엾은 나 자신을 발견하며 진한 화장이 얼굴에 뒤범벅되도록 술에 취해 울었다. 그런 날이 다반사였으니 그 꼴을 지켜본 가족들의 심정은 오죽하였을까….

그럼에도 변함없이 나를 사랑하며 기다려준 남편과 착하고 바르게 성장해준 두 아들이 고맙기만 하다.

| 나의 스토리

세번째 이야기,

낮술 먹는 여자와 망가지는 몸

"따르릉~"
점심 무렵 벨이 울린다.
"낮술 한잔 어때?"
"좋지~!"

앞서 언급한 적 있듯이 한때 나는 자타가 인정하는 술꾼이었다. 아마도 알콜 중독에 거의 가까운 지경까지 갔던 것 같다. 난 낮술을 좋아했다. 나의 귀가시간이 최대의 관심사였던 남편의 바가지(?)에 최대한 긁힘을 받지 않으려면 최대한 이른 시간에 음주를 시작해야 했기 때문이다. 가끔씩 저녁 스케줄이 없을 때는 거의 낮술부터 시작하였다.

처음엔 반주 한잔한다는 구실로부터 시작해서 대낮부터 거리낌 없이 식당 탁자 위에 주량을 과시하기라도 하듯 술병들을 쭉 진열(?)해 가며 마시고 떠들다 보면 어느새 밤이 되곤 했다. 술을 마시지 않는 지금 낮술을 전염(?)시킨 나의 지인들은 싫다는 사람에게 굳이 낮술의 매력에 중독시켜 놓고 자기만 쏙 빠져나갔다며 의리 없다고 툴툴대며 혹자는 권면(?)하기도 하지만 난 유혹에 넘어가지 않는다. 더 이상 술로 인한 환난(?)의 시절로 정말 돌아가고 싶지 않기 때문이다.

버석거리는 머리와 피부, 축 처지고 늘어난 뱃살, 지쳐가는 에너지. 이에 따른 자괴감은 물론 남편과의 술로 인한 전쟁 등은 이젠 생각하고 싶지도 않은 과거가 되었다.

현진건 님의 단편소설 〈술 권하는 사회〉에서 언급하듯 우리나라는 조선사회나 지금 사회나 여전히 '술 권하는 사회'에 살고 있다.

국토가 좁고 인구가 많은 한국에서 생존하려면 뺏고 뺏겨야만 한다는 경제원리 속에 경제권을 책임져야 하는 남자는 고달프다. 하지만 언젠가부터 공동연대책임(?)을 지게 된 여성들이 늘어가며 현대 여성의 어깨도 함께 무거워졌다.

결혼의 여부와 관계없이 여성들의 자존감이 증가하면서 경제인으로서 여성 수가 늘어나게 되고 퇴근 후 일로 받은 스트레스를 해소하기 위해 예전보다 많은 여성들이 술자리를 찾는다.

미혼여성은 미혼여성대로 기혼여성은 기혼여성대로 전업주부는 전업주부대로 근래에 여성들의 음주 인구가 꾸준히 늘고 있는 것이다.

빨래는 세탁기가 청소는 청소기가 한다. 마트에 가면 먹거리 완제품이 넘쳐난다. 아이는 어릴 때부터 유치원이나 학원에서 돌봐주니 육아에서도 비교적 벗어나고 상대적으로 시간이 많아진 주부들의 알코올 문화가 확산되고 있다. 또한, 경제난 속에서 살아남기 위한 남편의 잦은 술자리, 바빠진 자녀들 속에서 일부 주부들의 우울증은 알코올중독에까지 이르는 심각한 사회문제가 되고 있다.

남자에 비해 여자는 외로움에 약하며 사랑을 받고자 하는 욕망이 강하다. 남자는 인정받고자 하는 욕구가 1위, 여자는 사랑받고자 하는 욕구가 1위라고 한다.

경쟁사회 속에서 사랑하는 이의 관심 1순위를 빼앗긴 여자는 외롭다. 그건 아니라며 남자 따윈 관심 없다 변명하며 일에 모든 열정을 쏟는다. 하지만 여자의 사랑에 대한 본능은 잠시 바쁜 일에 잊은 것일 뿐 아는 듯 모르는 듯 외로움은 자꾸 샘솟는다.

스트레스를 푸는 유형은 여자마다 각각 다르다. 건전하게 스포츠나 취미 생활로 스트레스를 해소한다면 다행스러운 일이나 (특히 몸매 만드는 일을 취미로 삼아 아름다워져 가는 자신의 몸매를 감상(?) 하는 것으로 스트레스를 푸는 경우도 있는데 이것은 매우 바람직하다) 만일 스트레스를 푸는 방법이 음주나 폭식으로 굳어졌다면 매우 안타깝고 걱정되는 경우로 조속히 습관을 바꿀 것을 권장한다.

특히 알코올, 즉 음주로 스트레스를 푸는 경우 마치 혹 떼려다 혹 붙이는 격으로 두 배, 세 배의 좋지 않은 결과를 초래하게 된다.

지나친 알코올의 섭취는 오히려 담배보다 더욱 암 발병률을 높이고 치매의 원인이 되는 등 건강에 매우 치명적이라는 사실은 누구나 알고 있다. 또한, 미의 관점에서 보더라도 일단 지속적인 알코올의 섭취는 몸의 수분을 증발시키며 젊음의 상징인 윤기 있는 머리, 탄력 있는 피부 및 몸매의 조건을 송두리째 앗아가 버리고 만다.

또한, 술은 근육을 없애 피부를 흐물거리게 하고 함께 먹은 음식은 지방, 특히, 복부와 팔뚝, 턱살 등의 군살이 되어 몸을 나이 들어 보이게 하며 해독하느라 지친 간은 빛나는 눈빛을 잃게 하고 에너지를 뺏어간다.

술로 인해 기분 좋은 건 잠시, 곧 우울해지고 다음 날의 숙취는 물론 갈수록 무너져가는 몸의 라인은 여자의 자존감마저 떨어뜨린다. 괜히 짜증나고 철저한 자기관리로 다져진 여성을 적대시하는 성향을 보인다. 이러한 스트레스를 잊기 위해 다시 술과 안주를 탐닉하다 보니 갈수록 자존감은 떨어지고 사랑은 점차 위기를 맞게 된다. 이것이 지나친 비약일지 모르지만 난 비슷한 경험을 했다.

달콤한 아이스크림, 고소하고 바삭한 치킨, 입에서 사르르 녹는 부드러운 케이크는 물론이고 한 잔 이상의 지속적인 술은 여성의 아름다움과 젊음에 치명적인 음식이다.

술은 육체의 아름다움은 물론 건강한 영혼까지 좀먹게 한다.

정신과 육체가 건강하고 아름다운 여성은
누구나 되고 싶어 할 것이다.

건강한 여자는 잘 웃는다.
웃는 여자는 아름답다.
아름다운 여자는 사랑받는다.
사랑받는 여자는 행복하다.
여자는 행복해져야 한다.

네번째 이야기,

청바지가 어울리는 여자, 그 여자의 펠트니스 습관법

'청바지가 잘 어울리는 여자~ 밥을 많이 먹어도 배 안 나오는 여자~'

80년대 말 대한민국을 떠들썩하게 했던 가요의 한 구절이다. 본래 청바지의 용도는 작업복으로서 천막의 천을 사용해 19세기 초에 미국 서부에서 발명된 것이라고 한다. 하지만 이제 청바지는 청춘의 아이콘으로, 검소함의 아이콘으로, 섹시 아이콘으로 누구나 2~3개 정도는 소장한 필수 아이템이 되었다.

35세의 두 아이를 둔 엄마인 A씨, 두 아이를 출산했음에도 불구하고 그녀는 가사처럼 청바지가 잘 어울리는 여자이다. 젊음과 푸르름의 상징인 청바지를 닮아 있는 그녀의 활기찬 미소는 보는 이를 기분 좋게 하고 허리에서 힙으로 걸치는 잘록한 라인과 탄력 있게 올라 있는 힙과 적당한 근육으로 건강미 넘치는 허벅지를 가진 그녀는 나이보다 열 살은 어려 보인다. 하지만 애초부터 그녀가 에너지 넘치는 미소와 날씬한 몸매를 가지고 있었던 건 아니었다.

아이를 출산한 후 임신 전보다 10kg 넘게 증가한 몸무게와 탄력을 잃은 피부와 몸매의 라인은 그녀를 스트레스와 좌절에 빠지게 했으며 급기야 사람을 만나는 일조차 꺼려지게 되었다. A씨는 이러한 스트레스를 아이를 주려고 사다 놓은 과자 및 여러 가지 주전부리를 먹는 일로 풀게 되었고 그러면서 찐 살들은 고스란히 그녀에게 다시 되돌아왔다.

스트레스가 또 다른 스트레스를 부르는 나날이 계속되던 어느 일요일 아침. 샤워 후 욕실에서 나온 남편이 배를 쭉 내민 채 쇼파에 걸쳐 앉아 있는 그녀에게 불쑥 말을 던졌다.

"어휴~ 저 배 좀 봐~! 여자 배가 그게 뭐냐. 끔찍하게~!"

남편의 충격적인 말에 그녀는 아무 생각 없이 먹고 있던 과자를 떨어뜨리고야 말았다. 누구보다 서로를 열렬히 사랑했기에 결혼했고 남편의 사랑은 변하지 않을 거라 믿었다. 그런데 남편의 입에서 나온 끔찍하다는 말…. 그녀에겐 충격 그 자체였다.

생각해보니 특히 살집 있는 여자를 싫어했던 남편은 언젠가부터 그녀 옆에 오는 횟수가 확연히 줄어들었다. 육아에 지쳐 자신을 돌보지 않고 스트레스에 지쳐 정신없이 살다보니 남편 앞에서 본인이 여자임을 잊고 살았던 것이다.

"띵~!!!"

마치 무엇에 맞은 듯 머리가 띵해지며 종소리가 뇌리에 가득히 울려 퍼졌다.

"이건 아니야. 이건…."

여자로서의 자존감을 찾기 위해 그녀는 생각을 바꾸기로 결심했다.

'나는 아기 엄마이기 이전에 한 사람의 여자였던 것을… 그것을 잊고 살았던 거야. 나도 예쁘게 옷을 입고 거리를 걷고 싶어… 아가씨 소리도 듣고 싶고….'

그녀는 여태껏 버려졌던 자신에게 미안했고 그런 자신이 너무도 한심하게 느껴졌다. 비로소 나 자신을 사랑하기로 결심한 그녀… 이제까지의 생활 패턴을 완전히 바꾸기로 결심했다.

아이 때문에 따로 시간을 낼 수 없었던 그녀는 ①생활 속 조이기 운동습관과 꾸준한 펠트니스 운동 ②착한 식습관. 무엇보다 ③다이어트를 해야 하는 확실한 동기를 의지가 약해질 때마다 열 번씩 되뇌는 습관과 스트레스를 줄이는 긍정적인 마인드 가지기 연습 이렇게 세 가지 습관, 즉 펠트니스 실천법을 적극적이고 꾸준하게 실천하고 익혔다.

결과는 어땠을까…. 3개월 즈음 후부터 서서히 몸의 변화를 느끼며 더욱더 재미와 보람을 느끼게 된 그녀는 날이 갈수록 내 몸 가꾸기를 취미로 만들겠다는 의지가 더욱 강해졌다.

이제 3가지 펠트니스 습관법을 꾸준히 적극적으로 실천하며 생활화된 6개월 즈음 후. 그녀는 정말 몰라보게 날씬하고 아름다워졌다. 비로소 청바지가 어울리는 여자가 된 것이다.

젊음과 생기의 아이콘, 청바지의 상징인 푸르름…. 이는 결코 나이가 든다고 가질 수 없는 것이 아니다.

꾸준한 자기관리가 가져오는 긍정의 힘은 누구나 생기 있는 아름다움을 선물한다. 잘록한 허리 라인과 봉긋 솟아있는 힙 그리고 탄력 있는 허벅지가 결코 나이가 든다고 가질 수 없는 것이 아니다. 절제된 착한 식습관과 꾸준한 생활 속 운동으로 누구나 섹시한 건강미를 가질 수 있다.

자기 자신을 올바르게 사랑하는 다이어트는 시간과 돈이 들지 않는다. 진정으로 자기 자신을 사랑하고 아끼는 마음과 의지는 성공적인 다이어트를 위해 절대적으로 필요한 것이다.

비싼 명품백을 들고 백화점을 누비며 흐트러진 몸의 라인을 비싼 옷으로 감춘 통통한 여자와 검정색 비닐봉지를 들고 재래시장을 누비며 날씬한 몸의 라인을 자신 있게 드러낸 청바지를 입은 여자 중 당신은 어떤 여자가 더 아름답다 느끼는가?

당신은 어떤 여자가 되고 싶은가.

| 나의 스토리

다섯번째 이야기,

여자는 여자다

여자라서 참~ 할 것도 많다.

신체의 부분부분에 어찌 그렇게 오밀조밀하게 장식할 것도, 꾸밀 것도 많은지 모르겠다. 갖가지 색깔에 반짝이는 수많은 장신구, 취향 저격 의상 그리고 소품들. 이것들은 각각 여자의 자기만족이나 자기 위로 및 자기 과시용으로 각자의 임무를 맡는다.

여자는 언제나 아름다워지고 싶다. 간혹 이것이 뜻대로 되지 않을 때 마치 이솝우화에 나온 포도를 먹고 싶었던 여우처럼 외형적인 아름다움에 대한 노력이 경박한 욕심으로 매장당하기도 한다.

여우는 그랬다. '저 포도는 정말 시고 맛이 없을 거야.' 몇 번의 노력이 수포로 돌아가자 자신의 포기를 이렇게 위장함으로써 자기 위안을 삼는다. 하지만 만약 여우가 조금만 더 노력하여 그 포도를 먹을 수 있었다면, 게다가 그 포도가 정말 달콤하였다면 이야기는 달라졌을 것이다. 달콤한 맛에 행복하고 고픈 배를 채워서 행복하고 무엇보다도 뿌듯한 보람에 행복하여 정말로 행복해지지 않았을까?

아름다움에 관심 있는 사람은 '피보나치 수열'에 관해 들어본 적이 있을 것이다. 앞에 있는 2개의 수를 합한 숫자가 뒤의 숫자가 되는 수열, 즉, 1, 1, 2, 3, 5, 8, 13, 21, 34… 이 '피보나치 수열'에겐 재미있고 신비로운 특징이 있다. 그것은 2부터의 숫자를 바로 앞의 수로 나누면 항상 1,618 주위에 있게 된다는 것이다.

이 수열은 아름다움과 조화의 상징, 일명 황금비율로 잘 알려졌다. 아름다움을 '대표하는 예술작품인 비너스, 파르테논 신전, 모나리자는 모두 이 비율로 이루어졌다고 한다.

그래서인지 황금비율에 대한 여자들의 로망은 본능인 것 같다. 여자라면 누구나 쭉 뻗은 긴 다리, 작은 얼굴, 긴 팔을 갈망한다. 여자는 은연중 이 비율에 최대한 접근하기 위해서 다이어트와 운동으로 자신이 갖고 있는 신체적 조건을 최대한 작고 갸름하고 늘씬하게 만드는 노력을 한다.

아름다움에 최대한 가까워지려는 노력을….

여성의 역할은 생명의 잉태를 기본으로 한다. 여자가 보다 아름다워지기 위

| 나의 스토리

해 하는 행동들이 흔히 자아만족이라고들 하지만 깊숙한 의식으로 가보면 이성으로부터 관심과 사랑을 얻고픈 기본욕구로부터 시작됨을 부인할 수 없다.

"하늘을 보아야 별을 딴다"는 말이 있다. 관심은 사랑이 되고 사랑은 잉태와 연결된다.

여자의 창조원리에 여자의 본능이 숨어 있는 것이다. 남자는 남자다워야 하며 여자는 여자다워야 한다. 또한, 보다 아름다워지고자 하는 여자의 욕망은 본능이기에 누구에게나 예외는 없다.

얼마 전 4일간의 '동안 몸매' 지도교실 지방행사 일정 중 60이 넘으신 자원봉사아주머니께서 하루 종일 곁에서 도와주신 적이 있었다. 참외농사로 바짝 야위시고 까맣게 그을린 그분의 첫인상은 아주머니로 느껴지기 이전에 전형적인 농촌 할머니의 모습으로 보였다.

살짝 구부정해진 허리와 무릎은 그동안의 힘겨운 농사일을 짐작되게 했다. 하지만 하루 종일 그분은 동안 몸매를 위한 자세와 운동방법을 옆에서 들으시며 한편에서 열심히 동작들을 따라 하셨고 점점 생기에 젖어 반짝이는 젊은 눈동자를 나는 보았다.

"가슴을 이렇게 펴라고? 무릎은 이렇게 펴고? 배는 이렇게 힘주고?"

"어머나~! 이렇게 하시니까 정말 아가씨 같으시잖아요~! 하하하!"

과장되지만 기분 좋은 칭찬과 격려에 그녀의 얼굴은 점점 소녀가 되어갔다. 어느새 수업이 끝나고 갑자기 그녀는 어설픈 스포츠댄스(자이브)를 보란 듯 추기 시작했다.

"얼마 전에 배웠는데 나 어때?? 호호."

어느새 구부정한 등과 무릎은 상당히 펴져 있었고 상기되어 발그레해진 얼굴은 이미 할머니가 아니었다. 그녀는 할머니 이전에 여자였던 것이다.

'나이가 들으면 여자는 남자가 되고 남자는 여자가 된다'고 쉽게들 이야기
한다. 하지만 이 말은 사실이 아니다. 여자다움을, 남자다움을, 삶의 무게와
바꾸어 버린 것이다.

젊음과 건강, 아름다움을 지키고자 함은 하루하루 새로운 노력을 요한다.
그러니 안주한다는 것은 비겁한 합리화이며 이런 말들은 새로운 노력을 겁
내며 포기한다는 것이다.

여자만을 상대로 현장에서 함께 호흡하며 지내온 지 25년의 세월이 지났
다. 힘듦의 시간을 지나고 거치며 여자인 나를 통해 이제 비로소 여자를 알
게 되었다.

여자는 여자이고 싶다.
여자는 아름다워지고 싶다.
여자는 사랑받고 싶다.

PART 2

펠트니스
스토리

여성에게 선물한 고대인들의
지혜의 산물, 벨리댄스

벨리댄스 1세대로서 수많은 여성고객을 상대로 일반인 및 공연반, 전문 강사를 양성해왔던 십수 년의 세월 동안 직접 수업하며 항상 느껴온 것은 단순히 섹시한 배꼽춤으로만 인식되었던 벨리댄스가 다산(多産)에서 비롯됐다는 사실이다.

벨리댄스의 스포츠 물리학적인 장점은 바로 베이직 동작에 있다. 벨리댄스의 기본 동작들은 상·하체로 이루어져 있는데, 반복적인 관절의 롤링과 근육의 신장, 수축, 진동 등의 동작은 근육을 건강하고 탄력 있고 유연하게 만들어 보다 여성적이며 젊고 아름답게 가꾸어 주는 아주 신비로운 것이다.

특히 벨리댄스의 하체 기본 동작은 여성의 자궁 및 생식기를 젊고 건강하게 하고 질의 근육을 강화시켜 요실금을 방지하고 질과 항문 부근에 위치한 펠빅 플로어를 단단하게 강화시켜 건강하고 매력 있는 여성을 만든다.

인구가 적었던 고대 농경시대에는 다산, 즉 아이를 많이 출산하는 것이 곧 부와 연결되었다.

농작물의 수확량을 늘리기 위해서는 보다 많은 인력이 필요했고 아이를 많이 낳는 여성이 남성들의 로망이 되었던 것이다.

이는 미의 기준으로 보더라도 과거 여성의 아름다움이 지금과는 다르게 후덕하고 살집 있는 여성이었다는 사실과 일맥상통함을 알 수 있다. 그렇다면 '다산'을 위한 조건이 무엇임을 생각해 보자.

첫 번째로 생각할 수 있는 것은 건강이다.

순환, 면역, 회복력이 활발한 신체 전반적인 건강은 물론이고 특히 생식을 담당하는 여성기관이 젊고 건강해야 한다. 여성 생식기능이 우수하여 임신이 수월하고 펠빅 플로어 및 자궁내막이 건강하여 임신 기간을 잘 보내며 순조로운 출산 및 양호한 회복력으로 다음 임신과 출산까지 순조롭게 진행되어야 한다는 것이다.

건강한 신체에 건강한 임신과 출산이 있다.

두 번째는 무엇인가? 속된 말로 '하늘을 보아야 별을 딴다.'라는 말이 있듯이 원만한 부부 관계가 그것이며 첫 번째 조건과 순위를 매길 수 없을 만큼 중요한 것이다.

여성의 아름답고 건강한 정신적, 신체적인 성적 매력과 에너지가 이성을 사로잡을 때 비로소 건강하고 순조로운 임신으로 이어진다는 것으로써 여성의 아름다움을 지키려는 노력이 선택이 아닌 필수라는 근본적인 사실과 일치하는 것이다.

이 두 가지 조건을 충족시킬 수 있는 전반적인 여성 신체의 건강과 특히

다산을 위한 여성 기관을 강화시키기 위한 고대인들의 지혜가 춤으로 만들어져 전해 내려왔는데 이것이 바로 벨리댄스인 것이다.

이런 이유로 지금도 이집트에서는 결혼식에서 벨리댄서가 신부의 배에 손을 얹고 다산을 기원해 주는 의식이 의례적으로 행해진다.

여성의 건강한 임신과 출산. 바로 여기에 벨리댄스 탄생의 키워드가 있는 것이다.

난 처음엔 단순히 벨리댄서의 몸짓에 매료되었다. 벨리댄스에 대한 자료에 '다산을 기원하는 춤'이라고 되어 있어서 이것이 그저 정통적인 춤만이라고 생각하며 별다른 의미를 부여하지 못했다.

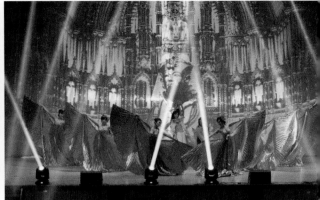

　하지만 수많은 전문인을 양성하고, 또한 일반인들 대상으로 십수 년을 매일같이 지도하며 현장에서 체험한 사실은 어째서 고대 문화인 벨리댄스가 사라지지 않고 과학 문명이 발달한 현대 사회까지 내려오는 이유에 대한 확실한 답변이었다.

　매혹적인 춤사위의 아름다움? 고혹적인 음률? 화려한 의상? 그것만이 아니었다. 그것은 바로 벨리댄스를 구성하고 있는 베이직 동작들이 바로 여성 기관을 젊고 건강하게 만드는 신비의 동작들로 만들어졌다는 것이다. 바로 고대인들의 지혜가 현대인들에게 선물한 소중한 유산이라는 사실에 명백한 이유가 있다.

벨리댄스의 전성기와
내리막길

2000년대 초중반, 〈추민수 벨리 아카데미〉를 진행하며 전국, 지역방송을 불문하고 벨리댄스의 보급 빛 대중화에 박차를 가했다. 그야말로 전국적으로 특히 대전지역의 벨리댄스 열풍이 불었다. 대중은 벨리댄스의 이름을 모르는 이가 거의 없었다.

나는 벨리댄스의 대명사가 되어 특히 지역 사회에서 유명세를 타 길거리를 지날 때도 사람들이 거의 알아볼 정도가 되었다. 추민수 벨리 아카데미는 지역 사회의 명소가 되어 벨리댄스를 배우려는 수강생으로 들끓었다. 그야말로 독점이었다. 하지만 여성 인구 대비 수 직접 배워 본 사람은 10명 중 1~2명도 아니 20명 중 1~2명 있을까 말까 할 정도로 벨리댄스의 인구는 실제적으로 많지 않았다. 제자들이 독립하여 학원을 개업하게 되면서 학원 수는 많아졌으나 갈수록 벨리댄스의 인구는 줄어들기만 하였다.

한창 벨리댄스의 붐이 일어날 때도 그러했으니 열풍이 지나간 지금의 벨리댄스는 일부 나이 많은 주부마니아층이나 어린이 벨리댄스가 맥락을 유지해 가고 있는 추세에 있다.

대중은 나를 한국 벨리댄스를 대중화시킨 주역이라 말하고 있지만 벨리댄스 대중화에 대한 나의 냉정한 평가는 한국의 스포츠로서의 벨리댄스가 이름을 알리는 데에는 성공하였지만, 대중의 체험도와 지속성인 대중화에는 실패하였다는 것이다.

화려한 의상, 노출, 이색적인 음악으로 공연 예술이나 방송의 적합한 소재거리가 되어 보는 사람은 많았어도 내가 꿈꿔왔던 스포츠로서의 대중의 직접적인 참여도는 현저히 낮았다.

나는 그동안 스포츠, 예술 분야의 벨리댄스 대중화를 위한 시간적, 경제적인 투자를 아끼지 않았다.

예술적인 부분에서는 벨리댄스 거리 퍼레이드와 시나리오가 있는 벨리댄스 뮤지컬, 현대무용, 고전무용과 접목한 벨리댄스 컬은 물론 성인 벨리댄스 뮤지컬까지… 시나리오도 직접 쓰며 감독, 연출, 공연하고 방송활동과 문화 칼럼 게재 등의 언론 미디어 활동도 멈추지 않았다.

또한 벨리댄스를 여성 스포츠로서 대중화를 만들기 위해 정통 벨리댄스가 여성의 건강에 미치는 스포츠 물리학적인 연구에 허다한 밤을 새우며 이를 강의에 도입하기도 했다. 또한, 전문 벨리댄스 지도자자격을 국가공인자격증으로 만들기 위한 경제적, 시간적 투자 또한 아끼지 않았다.

그런 노력에도 불구하고 정통 벨리댄스가 대중 예술 및 스포츠로서의 대중화를 지속시키지 못했던 이유는 우선, 고전적이고 이질적인 외국 문화가 초창기 대중의 호기심을 자아낼 수는 있었지만 이를 지속시키기에는 한계가 있었다는 점, 특히, 배꼽을 드러내는 선정적인 의상이 그것이었다.

또한. 다양한 다른 댄스의 안무에 비해 다소 선정적이며 앤틱하고 한정된 안무는 대중의 예술적 욕구를 충족시키는 데에 한계가 있었다. 고전이 가지고 있는 단점이라면 단점인 부분일 것이다.

추민수 KUDA 밸리 무용단 제 4회 정기공연

THE PYRAMID

고대 밸리 무희들의 관능적 밸리환타지!

2012년 12월 12일 오후 7:30
장소 | 엑스포아트홀

주최 | 사단법인 KUDA 실용댄스협회
후원 | 대전문화재단

문의 | 1566-5588
www.kuda.kr

19세 이상 관람가

R 50,000

Who Am I

제 5회 추민수 KUDA 실용무용단 창작회

일 시 | 2013년 8월 10일 (토) 오후 5시 장 소 | 대전광역시 서구 문화원
주 최 | (사) 추민수 KUDA 실용댄스협회 공연문의 | 1566-5587

15세 이상 관람가

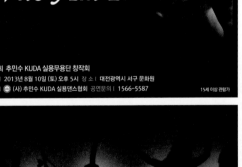

또한, 자격이 검증되지 않은 아마추어 벨리댄스 강사나 공연단이 난무하여 대중의 초창기 신비롭게 여기던 벨리댄스의 이미지가 퇴색된 이유 또한 큰 원인이 되었다.

벨리댄스의 베이직 동작은 신체 각 부위별로 이루어져 있다. 롤링, 슈미, 근육의 신장, 수축, 동작들이 관절을 유연하게 하고 근육을 부드럽고 탄력 있게 만들어 여성의 몸을 보다 여성적이고 관능적으로 만든다. 특히 하체에 집중된 베이직 동작은 집중적이고 반복적인 케겔 운동으로 펠빅 플로어를 강화시키고, 혈액 순환을 원활하게 함으로써 여성 기관을 젊고 건강하게 한다고 앞서 언급한 바 있다.

하지만 모든 것에 단점이 존재하듯 벨리댄스만으로 날씬하고 입체적인 몸의 라인을 만드는 것에는 한계가 있었다. 근력운동 측면에서 턱없이 부족한 것이다. 흔히 볼 수 있는 통통한 벨리댄서의 몸매를 보면 알 수 있다.

나 자신도 벨리댄스를 하던 시절에 얼핏 본 겉모습은 날씬한 듯 보였지만 내장 지방으로 인한 통통한 뱃살과 체지방에 허리 라인은 찾아볼 수 없는 일자였으며 힙은 납작했고 다리 근육도 허약하기만 했으니 말이다.

20대 초반 에어로빅 강사 출신이던 나는 나를 비롯한 일부 전문인들의 새로운 시도에도 그다지 변하지 않는 정통 벨리댄스의 예술적인 한계와 대중의 시선, 그리고 스포츠 측면에서 벨리댄스의 부족함을 절감해 가며 차츰 정통 벨리에 대한 열정이 사라져 가는 것을 느꼈다. 또한 피트니스 업계에서 정통 벨리댄스는 운동적인 측면에서 인정받지 못하며 서서히 자리를 잃어 가고 있었다.

벨리댄스는 정통 예술로도 스포츠로도 인정받지 못하는 천덕꾸러기가 되어가고 있었던 것이다.

벨리댄스 초창기 시절, 벨리댄스 유학을 위해 터키, 이집트로 가는 비행기에 몸을 신고 하늘을 날 때 벅차 왔던 가슴의 고동소리를 지금도 잊지 못한다.

비행기 날개 옆쯤 위치한 자리에서 떠오르는 태양을 보고 "난 대한민국의 최고가 될 거야."라고 다짐했었다. 근 20년이 지난 지금도 난 나의 꿈에 변함이 없다. 어떤 분야이든 난 최고를 꿈꾸며 하나님께서 나를 부르실 순간까지 주어진 나의 역할에 최선을 다할 것이니까. 이 사실이 지금도 나를 뛰게 하는 내 삶의 원동력이 된다.

초창기 벨리댄스 유학 시절 이집트 카이로에서 열린 워크샵 홀에서 흘러나오는 벨리댄스 특유의 선율은 나를 눈물 나도록 미치게 했었다.

나의 벨리댄스 인생은 슬픔, 기쁨 그 이상이었으며 나 자신이었다. 수많은 관중들 앞에서 춤출 때나, 모두 잠든 새벽에 안무 연습하며 홀로 춤출 때 눈물 나도록 행복했으며 나를 바라보는 수강생들의 눈빛에 목이 쉬도록 무릎이 아프도록 열강했다.

1세대 벨리댄스 인으로서 20년 가까이 외로운 한길을 걸으며 느낀 점은 벨리댄스는 정말 아름다운 춤으로서의 예술이라는 점은 사실이지만 결코 몸매를 만드는 스포츠는 될 수가 없다는 것이었다. 이 두 가지를 모두 충족시킬 수 있다고 주장하는 것은 두 마리 토끼를 잡으려 하는 과욕이다.

피트니스 인으로 전향하며 많은 피트니스 전문인들과 호흡하며 느낀 것은 그들의 처절하리만큼 열정적인 의지와 실천에 비로소 멋진 몸매가 완성된다는 사실이었다.

* KBC코리아 벨리댄스 컨벤션 '춤 IN STREET' 포스터

춤으로서의 예술이 운동으로서의 스포츠적인 요소까지 결코 만족시킬 수 없다는 사실을 인정해야 했다. 예술로서의 춤은 춤다워야 하며 스포츠는 스포츠다워야 한다. 시간이 흐르며 이런 생각은 더욱 확고해져 갔다.

최선의 노력을 다했으면 미련이 없다 했다.
젊은 시절 벨리댄스는 나의 일의 전부이자 인생이었으며 최선을 다했다.
내 인생의 산물로서 벨리댄스계의 선배로서 후배들에게 남기는 선물로 영리를 철저히 배제하기 위해 최초로 참가비 없는 전국 벨리댄스 경연대회인 'KBC코리아 벨리댄스 컨벤션'을 매년 개최하고 있다. 이로써 이제 나의 실제적인 벨리댄스 인생은 서서히 막이 내려가고 있었다.

여성만의 운동,
여성만의 펠트니스

어느 날 갑자기, 혹은 서서히 여성을 위한 신비의 운동법인 벨리댄스가 대중 속에서 사라져서는 안 된다는 생각이 내게 엄습해왔다.

보다 대중적이고 심플한 여성만의 운동법 개발이 절실하다는 사실을 절감하며, 연구에 밤을 새웠다.

정통 벨리댄스 수업을 뒤로했고 새로운 운동법으로 수업을 진행했다. 수업복도 치마가 아닌 레깅스 바지로 바꾸고 번쩍이던 탑을 캐주얼 한 스포츠 탑으로 바꿔 입고 벨리댄스의 대명사인 맨발이 아닌 운동화를 신었다. 새로운 운동법에 대한 네이밍도 여러 번 바꾸었다. 핏댄스, 추스팝 등….

수많은 시행착오를 경험했다. 피트니스 분야의 지식이 부족한 사실에도 불구하고 새로운 분야에 도전했던 나의 무모함의 결과였다. 업계의 비아냥과 제자들의 실망감도 빗발쳤다.

어느 늦은 밤. 어둠의 정적을 뚫고 핸드폰이 울었다.

근 십 년을 함께 하며 믿었던 제자로부터 날아온 장문의 메시지였다.

"추스팝인지 뭔지 난 창피하다"며 혀를 내밀고 조롱하는 모습의 이모티콘. 그것은 정말 수치가 되어 가슴 한편을 후벼파듯 아프게 박혔다.

하지만 그런 수치심과 오기가 지금의 나를 열심히 뛰게 만드는 원동력이 되었다.

벨리댄스 전문인으로서 피트니스적인 지식과 경험에 취약했던 나는 본격적으로 힘든 식이요법과 웨이트트레이닝을 직접 체험하고 각종 피트니스 프로그램 체험에 관련 서적을 탐닉하며 체육관과 도서관에서 매일을 보냈다.

그러던 중 과로와 목 디스크로 병원에 입원하고 말았다. 갑자기 생리가 끊기며 더불어 손목터널증후군이라는 병까지 얻었다. 철저히 제한된 나트륨과 지방, 소량의 탄수화물 섭취와 무리한 웨이트 운동이 화를 부른 것이다.

교회에서 의자에 앉아 예배드리는 일조차 힘이 들었다. 계단 하나를 오를 때마다 무릎은 물론 다리 전체가 시큰거리며 아팠다. 마치 내 몸 안에 80이 넘은 노파가 들어와 있는 듯했다.

밤마다 마비되어 떨어져 나가는 듯한 손의 통증에 울고 저려 오는 팔에 절망했다. 나는 몸도 맘도 지독히 아픈 밤을 하나님께 매일 기도하며 눈물로 위로를 받았다.

정통 벨리댄스를 멀리하고 여자에게 버거운 수준의 웨이트 운동과 피트니스 프로그램, 철저히 제한된 식생활로 인해 부드러우며 여성적이었던 나의

몸은 딱딱한 듯 말라갔고 얼핏 남성적인 근육으로 바뀌어 가는 듯했으며 생리가 끊기고 건강은 엉망이 되었다. 피부는 윤기를 잃었고 머리카락도 푸석거렸다.

내 몸이 말해주듯 여성 신체의 특징을 고려한 여성만의 건강한 운동법이 더욱 내게 절실해진 것이다.

"여성은 여성만의 운동법이 필요하다. 체지방을 무리하게 빼며 근육만 무리하게 만드는 남성적인 운동은 여성의 건강에 치명적이다."

난 입원 기간 중 근육, 뼈 등 인체 물리학 관련 서적을 열심히 읽고 입원복을 입은 채로 병실 유리창에 내 모습을 비춰가며 새로운 운동법의 커리큘럼을 연구하였다. 지금 생각해도 그때의 내 모습은 지독했던 것 같다.

철저한 식단 그리고 웨이트 운동과 피트니스 프로그램을 혹독하게 거치면서 드디어 난 벨리댄스 트레이닝 때 그렇게도 빠지지 않던 체지방이 줄고 근육이 생겨 가는 것은 확실하게 체험할 수 있었다.

하지만 중요한 사실이었던 것은 건강에 문제가 생긴 것은 말할 것도 없을 뿐 아니라, 체지방을 과도하게 뺀 몸매 또한 건강미도 없으며 예쁘지도 않다는 사실이었다.

여성은 여성만의 운동을 해야 하며 여성에게 적합한 다이어트로 여성 건강을 지키는 건강한 다이어트를 해야 한다. 생리가 끊김과 동시에 몸의 기능이 엉망이 되면서 절망과 동시에 난 결심했다.

"여성만의 운동, 여성만의 다이어트를 개발하고 보급하자."

내 몸을 토대로 직접 체험해 가며 운동법을 연구하고 식이요법을 연구하였다. 식생활로는 5대 영양소와 비타민, 무기질 등의 영양소를 함유한 몸에 좋은 음식물을 골고루 섭취하고 정신적으로는 긍정적인 마인드를 갖도록 노력하며, 내가 가진 것에 감사하는 습관과 나 자신을 비롯한 사람들을 사랑하려 애쓰고 예쁜 생각만 하려 노력하였다.

운동적으로는 벨리댄스의 여성 기관에 좋은 베이직 동작들을 새롭게 응용하여 운동법을 더욱 강화하고 부위별 피트니스 운동과 필라테스 동작을 기초로 한 새로운 운동법을 연구하며 또한, 트레이닝에 힘썼다. 내 몸이 아프기 때문에 무리한 동작으로 인한 상해 동작은 자연히 지양될 수밖에 없었으니 오히려 전화위복이 되었다.

놀랍게도 직접 아픔을 체험하며 개발한 새로운 커리큘럼이 내 몸을 회복시키고 나의 몸매 또한 여성적이고 부드러운 몸매로 아름답게 변하는 것을 느꼈다. 또한, 내가 개발한 이 운동법을 일반 여성들에게 지도하며 많은 호응을 얻게 되었다.

이런 진통을 겪으며 정신적, 육체적인 고통으로부터 나를 회복시킨 운동이 바로 '펠트니스'였다.

펠트니스,
동안 몸매의 시크릿에 대하여

펠트니스는 골반의 Pelvis와 건강을 유지하고
증진시키기기 위한 운동인 Fitness가 조합된 신
조어로서 벨리댄스, 필라테스. 피트니스 운동의
장점을 살려 근육을 강화시키고 특히 여성 기관
을 젊고 건강하게 만들어, 여성적이고 섹시한 몸
매를 만드는 신비한 여성 전용 운동이다.

펠트니스는 바른 자세를 유지하도록 자세 근육
에 집중하며 신체 부위별로 반복되는 근육의 신
장, 수축 운동을 통해서 우리 몸의 크고 작은 근
육뿐만 아니라 평소에 잘 사용되지 않던 근육들
까지 강화시켜서 혈액순환이 원활하도록 도와준

다. 또한 신체의 각 부분의 기능을 특히 골반 부위의 집중적인 운동으로 여성 기능을 건강하도록 만든다. 그리고 또 하나 주목할 만한 효과는 대사 작용을 촉진시켜 비만을 치료, 예방할 뿐 아니라 근본적으로 살이 찌지 않는 체질로 변화시킨다는 것에 있다.

우리의 몸을 움직이는 힘은 바로 근육에서 나온다. 근육은 또한 뼈를 보호하여 관절을 건강하게 만든다. 근육의 힘은 곧 젊음의 힘이다. 나이가 많든 적든 바람직한 근력운동은 우리의 몸의 젊음을 지키는 정말로 필수적인 것이다.

운동으로 다져진 근육은 탄력 있고 늘씬하며 운동부족으로 탄력성이 떨어진 근육은 위축되고 굳어있다.

우리는 몸에 좋은 음식들의 정보의 홍수 속에 산다. 많은 분들이 힘들고 번거로운 운동을 멀리하고 몸에 좋은 음식들을 섭취하는 것만으로 건강을 지키려는 경우가 많은데, 운동 부족으로 굳어진 몸의 혈액 순환이 원활하지 않은 상태에서 음식으로 섭취된 좋은 영양소를 과연 우리 몸의 구석구석까지 운반할 수 있겠는가.

우리 몸은 대근육뿐 아니라, 평소에 쓰지 않던 작은 근육들이 운동할 때, 비로소 혈액 순환이 원활하게 되고 혈액을 통해 영양공급을 받아 신체 각 부분 부분의 기능을 수행하게 되어 젊고 건강해진다. 음식을 통해 섭취된 영양소가 온몸 구석구석 운반되어 건강해지게 된다는 것이다.

즉, 우리의 몸을 부지런히 움직여야 우리는 건강하게 살 수 있다.

암을 예로 들어보자. 암이라는 병은 우리 몸 어느 부위든지 생긴다고 하는데, 유일하게 암이 생기지 않는 부분을 알고 있는가. 그것은 바로 심장이라고 한다. 그 이유는 심장이 우리의 신체 중에서 쉬지 않고 움직이는 유일한 부위이기 때문이다.

움직여야 한다.

운동해야 한다.

특히 평상시에 사용하지 않는 근육들 또한 움직여야 한다. 그래야 젊음을 유지하며 건강하게 살 수 있다.

또 다른 펠트니스 동안몸매 트레이닝의 시크릿은 아무리 운동이 좋다는 것은 알고 있어도 재미가 없이 힘들기만 하다면 운동을 지속하기가 어렵다는 우려를 없애기 위해 모든 동작을 음악에 맞춘 안무로 구상하여 지루할 사이 없이 함께 운동을 수행할 수 있다는 것에 있다. 이것에 또한 펠트니스의 큰 매력이 있다.

정신없이 재미있게 펠트니스 안무를 따라하다보면 어느새 여성의 입체적인 청바지 몸매 라인이 완성되는 것이다.

다시 한번 정리하자면 펠트니스 운동법은 신체의 각 부위별로 구성되어 특히 다른 운동으로도 잘 쓰지 않았던 작은 근육들까지 사용하게 함으로써 부위별로 체지방을 제거하며 근육을 붙여 탄력 있고 날씬한 몸을 만든다. 또한 혈액 순환을 원활하게 하여 여성 신체의 전반적인 건강을 돕는 운동이다. 펠트니스의 특징은 하체에 집중된 운동이다. 여성은 골반 안에 있는 여성기관 주변의 근육 및 인대를 자극, 강화시키는 운동을 해야 비로소 젊고 아름다우며 건강한 동안 몸매를 만들 수 있기 때문이다.

생각해 보라. 과연 하루에 얼마나 골반 주변의 운동을 하는지…. 어쩜 평생을 몇 번 안 할 수도 있을 만큼 여성의 골반 주변 근육은 잘 쓰지 않는 근육이다.

잘 알려진 괄약근이라는 근육은 주름이 있는 근육이다. 입술, 항문, 여성의 질이 그것이다. 이는 수의근으로 우리가 조절할 수 있는 근육이다. 입술은 음식을 먹을 때 항상 사용하므로 습관이 되어 우리가 뜻하는 대로 얼마든지 움직일 수 있다. 항문이라는 기관도 대부분 하루에 한 번은 소화된 것을 배출하는 훈련으로 어느 정도 뜻하는 대로 움직임이 가능하다.

하지만 여성에게만 있는 생식 기관인 질은 생각보다 평소 움직일 기회가 없는 근육이다. 그러므로 신경을 써서 운동하지 않는다면 이 근육 또한 나이가 들수록 더욱 감소하고 건조해진다.

여성의 생식기관 주변의 근육들로서 아랫배와 힙, 그리고 대퇴부 등 이 주변의 근육들의 적극적인 운동과 함께 여성 기관도 단련되며 여성은 더욱 매력적이고 아름답게 가꾸어지는 것이다.

여성기관 주변의 평소 안 쓰던 근육들을 운동시켜야 주변의 혈액순환이 잘되고 이것은 바로 여성 기관에 영양공급이 원활하게 이루어진다는 뜻과

상통한다.

여성은 반드시 여성에게 맞는 운동과 다이어트를 해야 한다.

예를 들어 지방이라는 영양소를 보더라도 20프로 미만의 체지방은 여성의 몸매를 아름답게 보이게 하지 않을 뿐 아니라 여성 건강을 망친다.

지방이 과하게 많거나 부족하면 여성 불임의 원인이 되며 체지방량 지수가 18에서 10까지 감소하면 배란이 중지될 수 있다. 그 수치가 더욱 떨어질 경우 생리까지 멈출 수 있다. 이는 나도 경험한 바 있는 사실이다.

지방은 여성의 성적 발달을 원활하게 하고 호르몬 생성을 돕는다.

등푸른생선, 올리브유, 견과류 등의 불포화 지방산을 꾸준히 섭취하며 여성에게 맞는 바람직한 운동이 수행될 때, 비로소 여성의 건강은 아름답게 지켜지는 것이다.

지나치게 절제되었던 식단, 스트레스, 과도한 운동으로 망가졌던 나의 몸과 마음을 기적처럼 건강하고 아름답게 만들어 준 운동, 펠트니스.

나는 이것이 하나님께서 현대 여성에게 주신 선물이라 감히 여기고 싶다.

나는 그동안 펠트니스 다이어트를 통하여 부족하지만 변화된 나의 모습을 대중에게 알리고 펠트니스의 보급을 위하여 그동안 동안과 동안 몸매의 대명사로서 상당히 많은 수의 방송 출연을 하였다. 〈KBS 안녕하세요, 46세 동안 엄마〉를 시작으로 〈KBS 비타민〉〈TV 조선 내 몸 사용 설명서〉〈TV 조선 만물상〉〈SBS 생생정보통〉〈KBS 여유만만〉〈채널A 닥터 지바고〉〈CMB 다이어트 미의 동안 몸매 다이어트 멘토〉〈MBC랭킹쇼 123〉 그 밖에 많은 지상파 프로그램에서 동안과 동안 몸매의 비결에 대해 소개한 적 있다. 3, 4년 전 출연했던 〈KBS 생로병사의 비밀〉에서는 뼈의 나이가 27세, 여성 호르몬 나이가 32세로 세간의 놀라움을 사기도 하였다.

* '동안, 동안 몸매'로 각종 TV방송에 출연한 모습

보다 여성이 건강하고 아름다워질 수 있도록….

보다 효과적인 운동법을 더욱 쉽고 재미있게 만들어 즐길 수 있도록….

보다 많은 여성들이 참여할 수 있도록….

나는 앞으로도 계속 내가 체험한 펠트니스의 기적을 대중에게 알리고 싶다.

그리고 더욱 진보된 펠트니스의 커리큘럼 및 베이직 동작에 대한 연구와 강의에 나의 마지막 젊음을 다하고 싶다.

아픔과 외로움의 수많은 나날을 보내고 여명을 맞는 듯하다. 강의로 또한 연구로 직접 펠트니스를 체험하며 다져지는 나의 몸은 하루 하루 다듬어지고 더욱 건강해지고 있다.

누구보다 벨리댄스를 사랑했다. 누구보다 벨리댄스로 많은 영광을 받았으며 또한 많은 눈물을 흘렸다.

최선을 다하면 미련이 없다고 했다. 벨리댄스의 스포츠, 예술적인 발전과 구축을 위해 누구보다 열정적인 벨리 인생을 살았고 최선을 다해 온 지금, 더 이상 예술가로의 벨리댄스에 대한 미련이 없다.

나의 아팠던 지난날을 바탕으로 이제 난 '펠트니스'로써, '동안 몸매 다이어트 멘토'로서, '뷰티 건강 전도사'로서 여성들이 행복할 수 있는 세상을 만들고 싶다. 꼭 그리고 싶다.

PART *3*

펠트니스로
조여라

습
관
을
조
여
라 ‥
．

숨 막히게 각박한 시대 안에서 우리는 숨 쉬고 있다. 이런 숨 막힘 속에 '조여라.'라는 동사는 얼핏 또 다른 숨 막힘으로 오해될지도 모른다.

하지만 내가 말하는 '조여라(tight)'라는 동사의 의미는 크고 작은 개개인의 욕망에서 나온 것, 즉 자신이 원하는 결과에 대한 집착 또는 불안한 심적상태인 '졸이다(be anxious)'라는 의미와는 차이가 있다.

영어단어로 살펴보아도 확연히 차이점을 알 수 있듯이 'tight'는 긴장함이 주는 모습 그대로이며 'anxious'는 불안한 마음의 상태로 부정적인 의미를 내포한다고 볼 수 있다.

어찌됐든 나는 이 'tight'란 말에 매력을 느낀다.

긴장이 풀어진 여자를 상상해 보자.

일단 나에게 첫 번째로 생각나는 모습은 잠에서 덜 깬 듯 흐려진 눈동자 라인과 풀린 눈꺼풀, 부스스한 머리카락이다. 탄력 없이 늘어진 팔뚝살과 뱃살은 서비스이다. 여기에 구겨진 치마와 무릎이 나온 바지. 어쨌든 그리 예쁘다고 볼 수 없는 모습들이 차례로 연상된다.

어떤 프로젝트 앞에서 지나치게 긴장하고 있을 때 흔히 '긴장을 풀어라.'라고 한다. 모든 세상사가 과유불급이듯 지나치면 해가 되듯이 내가 말하는 긴장은 생활 속의 적당한 긴장감을 말하는 것이지 브랜드 런칭을 앞둔 사업가의 바짝바짝 타오르는 입 마름을 얘기함이 아니다.

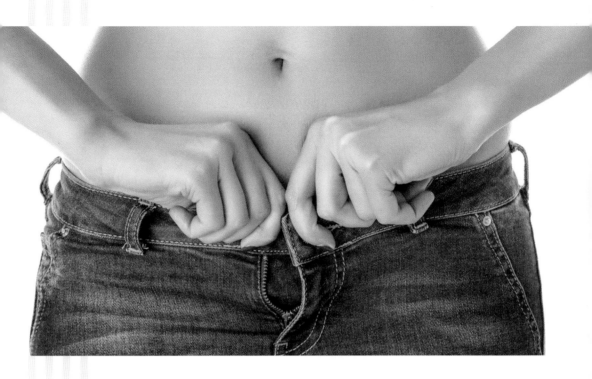

적을 알아야 전쟁에서 이길 수 있다. 자기 관리의 승리에 있어서 적은 외부 요인이 아니라 가장 가까운 곳에 있는데 그것은 바로 나 자신이다. 당신은 자기 관리의 싸움에서 승자가 되고 싶은가? 그렇다면 첫 번째 작전은 먼저 나 자신을 파악하는 것이다.

그렇다면 무엇부터 파악해야 하는가? 바로 나 자신의 습관이다. 습관이란 무엇인가? 생각 없이 무심코 나오는 크고 작은 행동들이다. 지금부터 자기 자신의 여러 가지 습관들을 살펴보자.

자, 이제 나 자신의 건강과 아름다움에 해를 끼치는 바람직하지 않은 당신의 미운 습관들부터 체크하고 수정해 나가도록 하자.

　여기서 말하는 생각이란 '나는 누구이며' '내가 원하는 것은 무엇이며' '내가 원하고 있는 것을 얻기 위해 나는 바람직한 어떤 행동들을 하고 있는가?'에 대해 깊이 생각해보는 적극적인 내적 행동을 말한다.

　대부분 어렸을 때는 꿈도 많고 열정도 많다. 하지만 점차 나이가 들며 크고 작은 실패에 좌절하고 현실에 순응해 가며 못 이룬 꿈에 대한 핑계의 삶을 사는 경우가 많다. 차츰 삶이 생계를 위한 수단이 될 때 우리는 점점 더 꿈에서 멀어진다.

문득 정신을 차렸을 때 우리는 잃어버린 나 자신을 발견한다. 자아를 재정비하는 것도 바쁘고 지친 삶에 곧 파묻혀 버리고 시간이 지나면 지날수록 내가 꿈꾸는 내 모습과 점점 더 멀어지며 결국 반쯤은 포기한 상태로 또다시 다가오는 시간들을 맞는다.

"다들 그러고 사는데 뭘…."
"내가 어떻게… 과연…."
"내가 할 수 있을까…."

이렇게 스스로 자위하고, 자책하고, 소심한 생각의 습관들은 삶을 지치게 하고 눈빛은 젊음의 에너지를 잃는다. 여러분이 원하는 여성상을 머릿속에 그려보자. 아마 그 모습은 어떤 일을 하든 자신감 있고 밝은 에너지가 솟아나며 아름답고 건강한 모습일 것이다.

그렇다면 이제 자신의 모습이 자신이 그린 이상적인 여성상에 얼마나 일치하는지 '생각'해 보자. 아주 냉정하게 판단해 보도록 한다. 아니라고 판단된다면 정말로 내가 꿈꾸는 여성상이 되고 싶은지 생각해 보자.

만약 그렇다면 이제까지 그럭저럭 살아왔다는 사실을 인정하고 '반성'하자.

그리고 이제부터라도 나의 작은 습관의 변화가 나의 모습을 멋지게 변화시켜 남아있는 삶을 보다 행복하게 바꿀 수 있다는 '가능성에 감사'하자.

그리고 정말 이제부터 나 자신을 바람직하게 사랑하는 구체적이고 실제적인 방법을 적극적으로 배우고 '실천하기로 다짐'하자. 그런 다짐을 했다면 당신은 아름답고 매력적인 여성으로 거듭나며 인정받고 사랑받을 수 있는 충분한 자격이 있는 것이다.

자신을 바람직하게 사랑할 수 있어야 비로소 남들에게 인정받고 사랑받을

| 펠트니스로 조여라

수 있다. 앞을 보지 않는 자기 사랑은 인정받을 수 없고 결국엔 자신도 사랑할 수 없게 되고야 만다.

예를 들어 일상이나 과중한 업무로 인한 스트레스를 예전의 나처럼 술로 풀려고 하거나 많은 여성들이 그렇듯 달콤한 케이크 따위를 먹음으로써 풀려 하는 습관은 결국 비만과 신체적, 정신적인 건강을 해치는 결과를 가져다줄 수 있다.

비만과 질병은 자신감을 떨어뜨리고 행동의 제약을 가져온다. 이는 결국 마음의 질병을 초래할 수 있다. 자신이 좋아하는 바람직하지 않은 습관을 자신에 대한 관용 내지는 사랑으로 변명하거나 착각하여 자제하지 않고 계속한다면 결국 후회하게 된다.

사람들은 본능적으로 긍정적이고 건강한 에너지를 발산하는 사람을 좋아하며 그런 사람에게 모여든다. 또한, 이러한 사람들이 모여 사회를 주도하며 바람직한 영향력을 미친다. 쉽고 편함의 헐렁한 생각습관을 버리고 당장은 다소 어렵고 힘들어도 바람직한 자기절제에 도전해 보자.

자제하는 생각의 조임으로 변화된 나의 외모는 더욱 자신을 더욱 사랑할 수 있게 만들고 자신을 존중하게 되며 결국 다른 사람까지도 사랑하며 존중할 수 있는 마음으로까지 성숙할 수 있다.

바람직한 영향력을 끼치는 여자가 되고 싶은가?
인기 있는 여자가 되고 싶은가?
탄력 있고 날씬한 동안 몸매를 갖고 싶은가?

목표를 달성하기 위한 첫 번째 키워드는 바로 생각습관을 조이는 데 있다.

"어차피 한 번뿐인 인생, 다들 그럭저럭 사는데 뭘."

이렇게 헐렁한 생각을 지우고

"단 한 번뿐인 인생, 활기차고 아름답게 살아야지!!"로 조이자

"내가 어떻게… 과연…." 이렇게 헐렁한 생각을 지우고

"나니까 확실히!!"로 조이자.

"내가 할 수 있을까…." 이렇게 헐렁한 생각을 지우고

"나는 할 수 있어."로 조이자.

이것이 바로 생각습관을 조이는 것이다.

노화의 비결(?)은 부정적인 생각이다. 이제부터 나쁜 생각을 멀리하고 될 수록 좋은 생각만 하는 생각의 조임을 실천하자. 불가능을 생각하지 말고 가능성을 생각하자.

나를 바르게 사랑할 줄 아는 여성이 되어야 비로소 남을 바르게 사랑할 수 있다. 젊음을 지키는 비결은 사랑이 밑바탕이 되는 긍정적인 하얀 마음의 도화지를 만드는 것부터 시작된다.

이제부터 하얀 도화지에 동안 몸매를 향한 여러분의 꿈을 그려나가기를 원한다.

'생각습관 조이기'는 바로 '동안 몸매 펠트니스'의 가장 기본이 되는 하얀 도화지이다.

표정습관 조이기 02

 찬연히 바스러지는 보석 알갱이를 닮은 햇살의 아침 카페의 진한 커피 향과 세련된 고즈넉함을 좋아하는 나는 가끔씩 보석처럼 부서지는 햇살을 닮은 웃음을 가진 젊고 어린 여자들을 볼 때마다 이런 생각을 한다. 내가 보아도 젊고 어린 여자들이 예쁜데 남자들은 오죽할까 하고 말이다.

 그리고 이내 왜 젊고 어린 여자들이 예뻐 보일까 하는 습관적인 관찰에 들어간다.

 단지 피부 덕분에? 그 때문만은 아닌 것 같다. 왜냐하면, 의학기술이 빠르게 발전하면서 요즘 나이가 있는 여성분들의 피부도 젊은 여성들 못지않게 탱탱하고 윤이 나는 분들을 쉽게 찾아볼 수 있기 때문이다.

 그렇다면 젊음이 아름다운 이유가 무엇일까? 그것은 바로 에너지이다. 활기가 느껴지는 에너지와 부정적이거나 체념한 듯 눅눅하지 않으며 긍정적이며 신선한 물방울 같은 에너지 말이다. 또한, 세월의 흔적과 함께 점철된 쓸데없는 고집스러움이 그녀들에겐 없다.

 아직은 비교적 많지 않은 삶의 흔적 때문인지 그들의 눈은 미래에 대한 호기심과 기대에 반짝이며 표정은 대부분 산뜻하고 사랑스러운 부끄러움을 살포시 표현한다.

 이런 에너지는 눈빛을 빛나게 하며 눈매와 입매를 지구 중력의 반대 방향으로 끌어 올리게 되는데 이것이 세월의 흔적이 묻어나지 않은 젊은 얼굴을 표현하게 되는 것이다. 혹 자신의 스타일이나 나이에 맞지 않게 무작정 어려 보이려 애쓰는 모습은 보기에 아름답지 않으며 간혹 안쓰럽게 느껴지기도 한다.

하지만 매사에 밝고 긍정적인 성향과 결코, 고집스럽지 않은 소녀다운 감성은 세월이 흐르더라도 꼭 안고 가야 할 동안 얼굴의 필수 요건이다. 이러한 성향의 색깔은 바로 표정으로 도출되기 때문이다.

삶이 지치는데 어떻게 밝고 긍정적일 수 있느냐고 생각할 수도 있다.

교과서에 있는 말이라 생각할 수 있지만 변하지 않는 현실 앞에서의 가장 바람직한 대응 방법은 나 자신을 그러한 현실 속에 적응할 수 있도록 긍정적인 단련을 시키는 것이다.

화를 내고 누구를 미워할 때마다 나의 소중한 신체와 정신은 화를 내는 강도에 비례하며 흠집을 입는다. 그리고 그만큼 늙는다. 사실이다.

여자들이여!!!

늙기 싫다면 화내지 말자. 누구를 미워하지 말자.

나이를 먹는다는 것과 늙는다는 것은 반드시 비례 관계가 아니다. 여기서 반드시 하지 말아야 할 대표적인 말은 바로 "어휴~난 늙었어."라는 푸념이다. 정말로 놀라운 사실이 있는데 젊디젊은 20대의 아가씨들 입에서도 진담인 듯 농담인 듯 적지 않게 이런 이야기가 나온다는 사실이다.

생각을 말로 시인하면 곧 현실이 된다. 특히 부정적인 말들은 더욱 더 그러하다.

내 입술에 내 말의 흔적이 남는다. 아름다운 말은 아름다운 입술을 만들고 추한 말은 추한 입술을 만든다. 누가 뭐래도 난 그렇게 믿는다. 이러한 이론을 입증할 만한 크고 작은 많은 경험을 하였기에 더욱 더 믿게 되었다.

이러한 사실이 백 퍼센트 들어맞는다면 하나님께서 주신 단 한 번뿐이고 단 하나뿐인 소중한 나의 몸에 더더욱 함부로 말할 수는 없게 되지 않겠는가.

| 펠트니스로 조여라

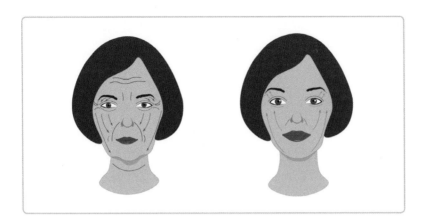

　우리의 얼굴을 살펴보자.

　우리의 얼굴에도 수많은 안면 근육들이 자리 잡고 있다. 우리의 얼굴은 기분이 좋을 땐 웃고 나쁘거나 화날 때는 찌푸린다. 그리고 그런 표정의 습관들이 표정 근육을 형성하여 온화하거나 괴팍스러운 인상을 만들어 낸다.

　그렇다. 어떤 사람이 자주하는 생각이나 기분이 그 사람의 얼굴을 만드는 것이다. 세월이 흐를수록 습관이 될수록 쓰임새에 따라 긍정적인 혹은 부정적인 얼굴 근육들은 쓰임새대로 더욱 그 입지를 굳히며 그 사람의 인상을 만드는 것이다.

　이제 우리가 생각과 행동을 할 때마다 어떻게 표정들이 변하게 되는지 살펴보자.

　어떤 소망을 가질 때, 그 소망이 이루어졌다는 상상을 해보자.

　일단 눈동자 위의 눈꺼풀이 수축하며 윗눈꺼풀은 살짝 위로 올라가게 된다. 눈동자 또한 나도 모르게 하늘은 보듯 위로 향하며 깊어지며 행복에 반짝인다.

내가 정말 사랑하는 이가 사랑의 징표로 내가 그토록 갖고 싶어 하던 예쁜 반지를 선물했다고 가정해 보자.

행복에 젖은 당신이 "어머~! 정말 고마워, 자기야. 나두 사랑해~"라고 말할 것이다. 그때 당신의 볼 근육과 입꼬리는 어디를 향해 있을까 물론 아래로 처져 있을 리 만무하다. 이럴 때 쓰이는 눈가 근육, 볼 근육. 입가 근육, 등 여기에 '동안 근육의 비밀'이 있다.

이 부분에 있는 근육들을 사용할 때 나의 얼굴은 빛이 난다. 가능한 많이 사용하여 조이고 단련시켜야 눈과 입꼬리의 처짐을 막고 동그랗고 올라 붙어있는 동안 볼 근육이 형성되는 것이다. 이것을 일명 '애플 볼'이라 한다.

처진 표정은 얼굴을 지쳐 보이게 하고 나이 들어 보이게 한다. 동안 근육은 억지로 되는 것이 아니라 긍정적인 생각 습관으로 표정 습관을 타이트하게 해야 남들에게 호감을 주며 매력적인 동안 얼굴이 될 수 있다.

우리가 남의 뒷담화를 하거나 부정적인 말을 할 때 입꼬리가 처지게 되고 턱 근육을 쓰게 된다. 소위 말하는 자갈 턱이 될 수 있는 것이다. 반면에 칭찬을 하거나 긍정적인 말을 할 때 입꼬리는 올라가게 되며 볼 근육이 상승하게 된다.

칭찬할 때 동안이 되고 험담할 때 노안이 된다.

지치고 짜증나는 현실 속에 밝고 매번 밝고 예쁜 표정을 짓는다는 것은 불가능해 보일지도 모르겠다.

하지만 앞서 언급했듯이 상황을 바꿀 수 없을 때는 나를 바꿔보도록 하자.

자~ 화가 나는 상황이 발생했다. 가슴이 두근거리고 얼굴이 달아오르며 나를 늙게 하는 세포가 마구 움직이기 시작한다. 그 세포에 나의 젊음과 건강의 영역을 빼앗긴다면 더욱 약이 오를 일이지 않을까?

| 펠트니스로 조여라

일단 진화가 필요한데 이때, 나만의 비법을 소개하자면 일명 3, 4! 요법이다. 내가 자주 사용하고 앞으로 더욱 자주 사용하고 싶은 방법이다.

❶ 화가 날 때 무조건 일단 3초간 눈을 감는다.
(이때부터 머리를 하얗게 비우고 아무 생각 없이 오로지 호흡에만 집중한다.)
눈을 감지 못할 상황이라면 말없이 머리를 하얗게 비우기에 전념한다.
❷ 발끝부터 위쪽으로 빨아들인다 생각하며 숨을 3초간 깊게 들이마신다.
(이때 배를 깊이 집어넣는다.)
❸ 그 상태로 3초간 정지한다.
❹ 솟아오른 가슴의 공기를 뺀다 생각하며 입으로 3초간 숨을 내쉰다.

자~호흡하기 전보다 훨씬 안정된 심정이 들것이다. 그런 후 먼저 나를 화가 나게 한 그 원인을 생각하고 반대편의 입장에서 최대한 긍정적으로 생각하도록 노력한다. 나의 경우 아주 특이한 경우를 제외하고 일방적인 경우는 거의 없었다. 오히려 내가 미안해지는 경우가 더욱 많았던 것 같다.

화가 났을 때, 짜증이 났을 때, 눈을 감고 12초만 화를 자제해 보자. 일단 눈을 감고 호흡에 돌입하면 반 이상은 성공이라 볼 수 있다. 화를 내는 것을 최대한 자제하면 사람도, 건강도 지킬 수 있는 일석이조의 효과를 볼 수 있다.

한때 나도 이런 방법을 실천 못해 많은 사람을 잃은 적이 있다. 아픔을 겪으며 이런 방법으로 어느 정도 화를 다스릴 수 있게 된 지금은 가끔 나를 미워하는 사람의 눈동자 속에서 그 사람의 아픔을 읽을 수 있다. 사람은 누구나 가슴에 아픔을 안고 산다. 그 사실을 인정하면 화가 나더라도 3, 4! 요법 이후 잔잔해지는 내 마음을 발견할 수 있다.

될수록 긍정적인 마음으로 사람을 대하며 대화할 때는 볼 근육으로 입가를 끌어올려 미소를 지은 채로 대화에 임하라. 이것이 일명 '동안 애플 볼 훈련법'이다. 최대한 턱 주름을 쓰지 않고 대화하는 것이 바로 '동안 펠트니스의 대화법'이다. 항상 눈은 동그랗게 뜨도록 노력하고 대화 시에는 상대방의 눈동자에 초점을 맞추고 즐거운 마음으로 대화할 수 있도록 노력한다.

물론 처음엔 볼 근육도 잘 움직여지지 않을뿐더러 눈꺼풀에 힘을 주는 일도 어려울 수 있다. 하지만 이것은 곧 내가 노안이 되어 가고 있다는 것을 입증해 주는 슬픈 사실이니 하루라도 빨리 훈련을 통해 동안의 길로 들어서자. 여기서 말하는 훈련이란 평소의 표정 연습이다.

표정 습관 조이기는 동안 얼굴, 동안 몸매로 가는 실제적인 첫 번째 훈련법이다.

| 펠트니스로 조여라

자세 습관 조이기 03

건강, 아름다움의 전도사로 여성들과 함께해 온 20여 년의 세월 동안 느낀 첫 번째는 정말이지 바른 자세를 가진 분들을 좀처럼 만나기 어려웠다는 사실이다.

잘못된 자세로 탄력 있고 늘씬해야 할 부위의 근육들이 짧아지고 굳어졌으며 생활에서 받은 스트레스로 인해 어깨는 잔뜩 올라와 굳어져 있는 분들이 대부분이라 할 정도로 상당히 많았다.

요즘 잘못된 체형을 교정하는 도수치료가 유행하고 있다. 치료사의 수기로 굳어진 근육, 근막 등을 이완시키고 비뚤어진 골격을 바로 잡아주는 이 치료법은 한 자세로 오래 근무하는 컴퓨터 관련 직업이나 특히 스마트폰으로 인해 잘못된 자세가 굳어져 통증을 호소하는 현대인들에게 반가운 치료법이 아닐 수 없다. 하지만 통증이 개선되는 것도 잠시, 이후 또다시 통증을 호소하는 경우가 많다. 근육을 이완시키고 뼈를 바람직한 자리로 돌려놓는 치료를 잠시 받았다 해도 짧아지고 굳어진 근육들은 이내 버릇대로 뼈를 원위치시켜 놓기 때문이다.

모든 질병이 그러하듯이 근본적인 질병의 회복은 단순한 치료 행위에서 끝나는 것이 아니라 질병의 원인이 되는 본인의 일상적인 나쁜 습관을 바람직한 습관으로 바꾸는 일이 함께 이루어져야 가능한 일이다.

예를 들어 흡연으로 인해 폐암에 걸린 환자가 담배도 끊지 않고 나쁜 습관을 고치지 않은 채 수술이나 방사선 치료에만 의지하여서 암이라는 질병이 치료될 수 있을까? 적극적인 치료행위와 함께 금연 및 식습관, 긍정적 마음가짐 및 기타 좋은 생활습관으로 무서운 질병을 치료해야 할 것이다.

잘못된 습관이 가져다준 비뚤어진 자세는 미용학적으로 보아도 아름답지 않으며 더욱이 자칫 평생을 고통 속에 지내야 하는 무서운 질병의 원인이 될지도 모른다. 이것은 결코 소홀하게 생각해서는 안 될 심각한 문제이다. 병적인 경우는 더더욱 적극적인 치료와 함께 운동을 생활습관화 하여 근육을 바람직하게 단련시켜야 비뚤어진 체형으로 인한 질병의 고통에서 벗어 날 수 있다.

자신의 비뚤어진 자세를 바르게 세워주는 일이 매우 중요하며 이것이 바로 근본적이고 훌륭한 운동법인 것이다.

우리 몸의 뼈를 잡아주는 역할은 무엇이 하고 있을까. 그것은 바로 근육이다.

바른 자세로 자세 근육을 단련시켜야 척추가 바로 서며 다른 뼈들도 바르게 자신의 자리에 있을 수 있다.

힘을 줄수록 근육은 강해진다. 이 사실은 누구나 아는 상식이다. 잘못된 자세로 굳어지고 위축된 근육을 강화시키도록 바른 자세를 유지하려는 자세 근육운동법은 처음에는 힘이 들지만, 반드시 근본적인 치료 및 예방을 위해 자기 자신이 해야 할 첫 번째 재활운동이다.

우리 몸의 기둥은 척추이다. 이른바 이 기둥이 바로 서 있어야 오장육부가 제자리에서 비로소 맡은 바 자신의 임무를 성실히 수행할 수 있다.

잘못된 자세로 굳어진 근육은 운동 능력과 유연성 및 관절의 가동 범위를 줄어들게 하고 대사기능을 감소시키며 질병과 노화를 불러온다. 이것은 미적 기준에서 본다 해도 꼭 고쳐야 할 잘못된 습관이다.

현대 여성들이 고쳐야 할 대표적 자세는 굽은 등과 굳은 어깨, 올라온 승모근과 비뚤어진 골반 및 구부정한 무릎 등이다.

특히 등이 굽은 나쁜 자세는 흉곽을 아래로 내려앉게 하고 가슴 부분에 위치한 횡경막까지 처지게 한다.

처진 횡경막은 그대로 굳어져서 내장을 밀어내며 하복부를 볼록 튀어나오게 하는데, 이것은 오랜 시간 책상에 앉아 일하는 직장인들의 대표적인 고민인 복부비만과 변비를 일으키며 가스가 차는 등 장 기능까지 저하시키는 이유가 된다.

반대로 가슴을 위로 끌어올리고 어깨를 아래로 끌어내리며 배꼽을 등에 붙인다는 생각으로 밀어 넣는 습관은 보다 날씬한 복부를 만들고 장 운동 개선에 매우 효과적이다.

자세를 바꾸는 것만으로도 코어 근육이 강화되어 배가 들어가고 키가 커 보이며 목이 길어지고 얼굴이 작아지는 효과를 볼 수 있다. 이는 여성을 아름답고 젊고 건강하게 보이도록 한다.

당당한 동안 몸매 미녀가 되는 또 하나의 비결은 바로 자세 습관을 조이는 것이며, 방법은 생각보다 매우 심플하고 수월하다.

아래의 사진을 참조해 생활 속에서 실천하도록 한다. 여기서 정말로 중요한 것은 적극적이며 꾸준한 실천이다.

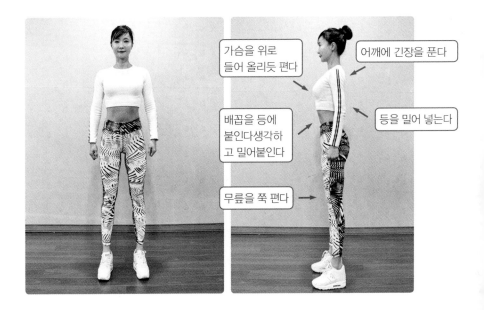

가슴을 위로
들어 올리듯 편다

어깨에 긴장을 푼다

배꼽을 등에
붙인다생각하
고 밀어붙인다

등을 밀어 넣는다

무릎을 쭉 편다

건강한 동안 몸매는 아름다움을 불러온다.

아름다움은 자신감을 불러온다.

자신감은 행복을 불러온다.

나 자신이 행복해야 비로소 남을 사랑할 수 있다.

자세 습관을 조여라.

건강하고 매력적인 동안 몸매를 내 것으로 만들 수 있다.

간단한 다이어트 수칙, 하나! ✔

건강하지 않은 미인은 없다. 그렇다. 현대 미인의 첫 번째 요소는 건강이며 건강해야 아름다운 표정, 피부, 몸매 및 머릿결 등을 가질 수 있으며 기대수명을 늘리는 동시에 모든 질병의 위험의 요인을 낮출 수 있다. 바로 이것이 우리가 추구하는 '동안 몸매'이다. 동안 몸매는 바로 청바지가 어울리는 몸매이다.

청바지가 어울리는 동안 몸매를 만들기 위해서는 우리 몸의 기본 구성단위인 세포 단계에서부터 건강하며 탄력 있게 만드는 일이 무엇보다 중요하다.

바로 질병을 예방하는 일과 동시에 세포의 노화를 늦추어야 하는데 이를 위해 우리가 반드시 해야 할 과제는 똑똑한 식사를 해야 한다는 것이다. 우리의 몸은 공장이다. 훌륭한 제품 생산의 키워드는 어떤 좋은 원료를 썼느냐에 있다. 즉 우리의 몸은 제품이 되고 원료는 음식이 되는 것이다.

비만의 원인이 되는 음식들은 하나같이 건강에도 좋지 않다. 우리의 입에만 맞는 음식과 과식, 과음 등의 건강에 나쁜 음식 습관을 버리지 못한 채 건강한 동안 몸매를 만들 수 있겠는가?

우리 속담에 "콩 심은 데 콩 나고 팥 심은 데 팥 난다."는 말이 있다. 건

강하고 착한 음식들은 우리 몸을 건강하게 하고 착한 몸을 만들어 낸다. 건강하고 날씬한 몸을 가지기 원하는가? 그렇다면 지금부터 반드시 건강한 음식, 착한 음식, 깨끗한 음식과 친해져야 한다.

이런 음식들의 특성이 있다. 바로 깔끔하며 깊은 맛이다.

그런데 도무지 이 맛은 한두 번으로는 잘 친해지지 않는다. 특히 자극적인 요즘 음식들에 익숙해진 우리들의 입맛에는 밋밋하고 그다지 매력적으로 느껴지지 않는다. 하지만 이 맛은 계속 접해봐야 한다. 그래야 그 맛 고유의 깊은 맛을 느낄 수 있으며 오래오래 씹을수록 감칠맛이 나는 것을 비로소 느낄 수 있다. 그리고 속이 편안하다. 변비도 멀어진다.

또한, 깨끗한 음식에 길들여지면 그렇지 않은 음식을 금방 가려낼 수가 있다. 속이 불편해지는 것이 바로 감지되는 것이다.

나쁜 음식에 길들여져 있다 보면 속이 불편한 것에 익숙해지며 그럭저럭 살아가게 되는데 깨끗한 음식으로 인해 건강해진 속은 이내 불편함을 잡아내어 결국 나쁜 음식을 멀리하게 되는 좋은 습관이 생기게 된다.

하지만 처음에는 좋아하는 음식을 먹고 싶어서 매우 힘이 드는 것이 사실이다. 나 같은 경우 적응하는 데에 3개월에서 6개월 정도 걸렸다. 하지만 차츰 착한 음식의 결코 질리지 않는 담백함에 반하게 되었다. 그토록 좋아하던 음

| 펠트니스로 조여라

식을 먹어도 이내 그 진한 맛에 질려서 몇 숟가락 넘어가지 않게 되었고 이젠 오히려 일명 '나쁜 음식'들이 싫어지게 되었으니 그저 감사하기만 할 뿐이다.

착한 음식을 먹고 난 후 아침에 착 달라붙어 있는 배를 볼 때의 느낌. 야식의 유혹을 이겨낸 아침의 상쾌함. 이런 종류의 쾌감은 원초적인 식탐 욕구를 해결했을 때와 분명 질적으로 다르다. 자신이 대견하게 느껴지며 시간이 갈수록 달라지는 건강하고 아름다운 모습에 나 자신이 반하게 되어 더욱 더 깨끗한 음식을 찾게 된다.

정말로 현명한 다이어트의 방법은 바로 관심의 전환인 것이다. 맛있는 음식에 대한 관심을 멋있는 몸매와 건강으로 바꾸는 관심의 전환이 필요하다.

살이 찌는 맛있는 음식 앞에서 5초만 생각하자. 순간의 즐거움을 위해 딱 붙은 배를 만질 수 있는 행복함을 포기할 것인가. 과연 이 음식이 매끈한 스키니진을 입는 행복과 바꿀 수 있을 만큼 가치 있는 것인가.

음식 앞에서 너무 심각한 것 아니냐고 생각할 수도 있겠지만, 이것이 진정한 행복으로 가는 첫 번째의 가장 중요한 입문과정이다. 이것이 동안 몸매를 위한 음식 습관 조이기의 기본 숙제인 것이다.

가끔 사람들이 나에게 물어본다. "좋아하는 음식이 뭐예요?" 그때 난 자신 있게 말한다.

"몸에 좋은 음식이요."라고 말이다. 물론 가끔은 내가 무지하게 좋아하는 음식인 떡볶이를 빼고 말이다. 난 떡볶이를 정말 좋아한다. 특히 깔끔하고 매콤한 맛의 국물 떡볶기는 내가 가장 좋아하는 음식이다. 하지만 가끔 먹고 싶을 때 먹는 떡볶이로 내 몸은 결코, 망가지지 않는다. 펠트니스 동안 몸매 다이어트, 음식 습관을 조이는 훈련 덕분이다.

간단한 다이어트 수칙, 둘! ✔

그럼 지금부터 음식 습관을 조이는 방법에 대하여 구체적으로 살펴보자.

우선 펠트니스 동안 몸매 다이어트의 철칙 첫 번째는 한꺼번에 많은 살을 급하게 빼려고 하면 절대 안 된다는 것이다.

또한, 시중에 난무하고 있는 살이 빠진다는 약물섭취를 절대 금지해야 한다. 약물은 정상 세포까지 무력하게 만들어 신체의 각 기능을 저하시킨다. 다이어트의 기본 원리는 건강과 아름다움으로 진정한 행복을 추구하는 데에 있다. 아름답지도 건강하지도 않은데 그저 살을 빼는 것이 무슨 의미가 있을까? 이것은 건강 미인을 만드는 기본 원리인 동안 몸매 프로젝트에 전혀 맞지 않는 것이다.

음식을 제한하는 다이어트는 급속한 체중감량의 목표를 이룰 수는 있어도, 정상 식사로 돌아왔을 때 체지방 지수가 높았던 예전보다 뚱뚱해질 수 있다. 더더욱 다이어트에 어려운 몸매로 변하는 것이다. 이것이 흔히 말하는 요요현상이다.

음식을 제한하면 우리 몸은 이를 비상사태로 인식하여 섭취되는 음식물 대부분을 지방으로 전환시키게 되는 것이다.

어떤 다이어트를 시작하기 전에 우선 첫 번째로 이 다이어트 방법을 평생 할 수 있겠는가? 하고 자신에게 먼저 질문해 보았음 한다.

비록 감량 속도가 느려도 보다 건강하고 아름답기 위한 다이어트의 본질

| 펠트니스로 조여라

을 똑똑하게 인식하며 깨끗하고 착한 음식들과 친해지는 습관만이 아름다운 동안 몸매를 가질 수 있는 첫 번째의 사실임을 잊지 말고 똑똑한 다이어트를 시작해야 할 것이다.

동안 몸매를 만드는 펠트니스다이어트에 입문하기에 앞서 가장 기본적인 상식부터 체크하고 가기로 한다. 흔히들 체중 감량을 위해 탄수화물을 제한하는 경우가 많다. 하지만 우리의 몸은 탄수화물을 꼭 필요로 한다.

탄수화물을 제한할 경우 우리 몸은 부족한 에너지를 근육에서 가져다 쓰기 때문에 이는 결과적으로 근육의 손실을 일으키게 하는 이유가 된다. 동안 몸매에 있어 제일 필요한 것은 근육이다. 근육이 손실된다는 것은 젊음의 손실을 의미하기 때문에 탄수화물 섭취는 반드시 중요하다.

문제는 탄수화물의 종류인데 동안 몸매를 꼭 만들고 싶으신 분들의 의지의 정도에 따라 매번의 식사 시에 섭취해야 할 탄수화물은 될수록 복합 탄수화물을 섭취할 것을 권한다. 부득이 한 경우를 제외하고 거의 매번 섭취할수록 좋다.

복합 탄수화물이란 체인 모양으로 서로 붙어있는 당분 형태를 말하는 데 이것은 섬유질을 많이 함유하고 있으며 소화하는데 그만큼 시간이 많이 걸리리는 탄수화물이다.

이렇듯 느리게 소화되어서 우리 몸에 당분이 흡수된다는 것은 지방으로 변하고 저장되는 당분의 양이 그만큼 적어진다는 것이며 소화되는 과정에서 천천히 지속적이고 안정되게 에너지를 소비한다는 것을 의미한다.

즉, 좋은 복합 탄수화물 섭취는 운동하는 에너지의 효과적인 공급에 필요하고 체지방을 감소시키는 데 더더욱 효과적이라는 것이다. 또한, 지방과 콜레스테롤을 대체할 수 있는 가장 좋은 음식이라는 보고도 있다.

이에 비해 단순 탄수화물은 당분이 우리 몸속에 빠르게 소화, 흡수된다. 이런 당분의 빠른 소화흡수가 당분을 지방으로 변환할 기회를 증가시키는 것이니 자연히 체지방이 증가하게 되는 것이다.

단백질은 근육의 구성 성분으로 양질의 단백질의 충분한 섭취는 동안 몸매의 필수 조건이 된다. 나이가 들어도 건강하고 탄력 있는 아름다움을 위해서 우리의 근육은 120세가 되었다 해도 절대로 놓쳐서는 안 될 필수 아이템이다. 또한, 탄력 있는 몸매의 아름다움을 살려 주는 주된 요소이기도 하다.

또한 근육의 움직임으로 혈액순환이 원활하게 되고 앞서 언급한 바 있듯이 우리 몸의 각 부분에 음식으로 섭취한 영양소를 효과적으로 분배할 수 있어 건강해진다.

활동량이 많아지면 근육량이 증가하고 기초 대사량이 높아진다. 즉, 충분한 단백질 섭취를 통해 우리 몸은 살찌지 않는 몸으로 단련되는 것이다.

그러므로 다이어트에 있어서 충분한 단백질의 섭취는 너무나도 중요하다.

다이어트를 할 때 최대의 적이라고 생각되는 것은 무엇인가? 대부분 지방이라고 생각할 것이다. 하지만 좋은 지방의 섭취는 정말로 중요하다. 지방은 우리 몸이 비타민을 흡수하는 데 도움을 주고 면역계와 중추 신경계에 작용하여 세포를 건강하게 하며 뇌의 기능을 좋게 한다.

특히 여성에게 있어 적당한 지방량은 앞서 언급하였듯이 성적인 매력과 여성 호르몬을 지키는 데 도움을 주며

| 펠트니스로 조여라

여성스러운 라인을 만들고 피부를 윤택하게 하므로 좋은 지방의 섭취는 특히 여성들에게 꼭 필요하다.

여기서 말하는 좋은 지방이란 불포화지방을 말하는데 불포화지방이란 상온에서 액체의 형태로 있는 지방으로 우리들의 혈관을 보호하며 뇌의 기능을 향상시키고 각종 질병의 위험을 감소시키며 항염증 효과가 있다.

또한, 혈액 순환 및 심장 기능에 도움을 주며 성인병의 주범인 중성지방을 억제해주는 오메가3를 함유하고 있어 더더욱 우리 몸에 필요하다.

이외에도 무기질은 우리 몸의 여러 가지 생리 기능을 조절, 유지 시키는 역할을 하며, 칼슘, 철분, 아연, 칼륨 등이 무기질에 해당한다.

비타민의 종류는 많지만, 특히 비타민C는 스트레스, 피부미용, 이뇨작용, 피로회복 등에 꼭 필요하며 비타민E는 대표적인 항산화 성분으로 활성산소로 인한 세포 손상감소와 면역체계를 건강하게 유지한다는 점에서 노화를 지연시키는 동안 몸매의 필수적인 영양소라고 볼 수 있다.

비타민은 체내에서 스스로 만들어 낼 수 없으므로 반드시 외부에서 섭취해야 한다.

여기까지 우리 몸에 꼭 필요하며 기본적으로 알아두어야 할 대표적인 5대 영양소와 그 기능을 살펴보았다. 세상에는 먹을거리가 정말 많다. TV 및 각종 매체는 다이어트 및 건강에 관심 많은 현대인들을 위해 수많은 식품정보를 연일 보도한다. 그 수는 너무도 다양하고 많아 머리 아파서 지레 포기하시는 분들이 부지기수인 것이 현실이다.

다이어트도 쉬워야 할 수 있다.

간단한 다이어트 수칙, 셋!

그렇다면 어떻게 편리하며 똑똑한 식사로 동안 몸매를 만들지 지금부터 알아보자.

아침은 충분히 영양을 생각해서 조리시간을 단축한 담백한 식사로 한다. 간단한 브런치 혹은 한식도 좋다. 보다 감량을 원하면 밥 반 공기나 고구마 작은 것, 통밀빵 반쪽 등 탄수화물 양을 줄인다. 단, 단백질과 비타민 섭취를 잊지 않는다.

대신 점심은 원하는 것을 먹는다. 단 1인분은 넘지 않도록 하며 가능하면 튀긴 음식과 트랜스 지방으로 기름진 음식, 매우 짜거나 매운 음식 등은 피하는 것이 좋다. 꼭 먹고 싶다면 3일에 한 번은 먹도록 한다. 그리 어렵지 않다. 먹고 싶을 때 두 번만 참는 것이다.

국물은 가능한 한 적게 섭취하는 것이 좋으며 난 여러분께 수저를 쓰지 않는 젓가락 식사법을 권한다. 폭식과 과다한 나트륨 섭취를 방지할 수 있다. 습관은 정말로 얼마든지 바꿀 수 있다. 어렵다 생각지 말고 국물 요리를 좋아하는 습성, 꼭 국이 있어야 하는 식성은 버려야 한다. 건강을 위해서 반드시 말이다.

식습관에도 철저한 계획을 세워야 한다. 평소 식사를 정해진 시간에 하며 2시부터 6시까지는 금식한다. 그리고 물은 최대한 많이 마시며 정말 좋아하는 간식도 정해진 시간에만 먹는다.

저녁은 7시 이내에 먹는다. 이때 중요한 점은 탄수화물은 최소한으로 먹

| 펠트니스로 조여라

고 단백질 위주의 식사를 한다는 것이다. 이때 이른바 말하는 다이어트식을 하는 것이다. 단, 굶는 것은 절대 금물이다. 바나나 1개와 계란이라도 꼭 먹는다.

밤에 야식이나 저녁을 많이 먹던 습관이 있었다면 처음엔 배가 많이 고프고 허전할 수 있다. 하지만 아침에 날씬해진 모습을 상상하는 것, 납작해진 배를 만질 수 있는 것, 그리고 밤에 먹고 싶은 메뉴를 다음 날 점심때 먹을 수 있다는 희망으로 일찍 잠들도록 한다.

다이어트 할 때는 먹는 것만 아른거리게 된다. 참 본인이 원초적이라 생각되며 한심하게 느껴지기도 한다. 하지만 인간은 누구나 그렇다. 이런 글을

쓰는 나도 그랬으니 말이다.

맛있는 음식을 먹고 싶은 욕구가 너무나도 강렬한데 무조건 참는 다이어트는 건강에도 좋지 않다. 그러니 하루 한 끼는 먹고 싶은 것을 먹고 두 끼는 다이어트식(복합 탄수화물, 단백질, 야채 위주의 담백한 식단)을 한다. 매 끼니에 탄수화물, 단백질, 비타민을 꼭 챙기고 지방 성분은 저녁이 아닌 아침이나 점심때 반드시 보충하도록 한다.

내가 다이어트를 처음 시작하면서 정말로 불편했던 점은 도시락을 싸서 다녀야 하는 거추장스러움과 사람들의 시선이었다.

특히 점심에 지인분들과 식사를 하면서 도시락을 꺼내 놓는 것이 혹시나 유난스럽게 비추어질까 봐 조금은 걱정했었던 것이 사실이다. 물론 지금은 오히려 긍정적인 시선으로 봐주시는 분들이 많아졌다. 그만큼 다이어트에 대한 현대 사회의 필요성에 긍정적인 시선으로 실천의 의지 또한 예쁘게 보이는 것 같다.

아무튼, 도시락 지참은 피트니스 시합을 앞둔 선수나 정말 다이어트가 필요한 절박한 경우를 제외하곤 현실적으로 많은 제약이 따르는 것이 사실이다. 하지만 앞서 언급한 펠트니스 동안 몸매 다이어트법으로 더 이상 도시락을 싸야 하는 번거로움에서 해방될 수 있었다. 동안 몸매 펠트니스 다이어트법. 생각보다 어렵지 않다.

앞서 말한 구체적인 다이어트는 천천히 체중을 감량하여 요요현상을 방지하며 보다 적극적으로 날씬하고 입체적인 몸매를 갖고 싶은 분들께 적극 권하는 다이어트 법이다.

혹 이것조차 번거롭고 입체적인 몸의 라인보다 그저 살이 안 찌는 건강한 체질을 갖는 것만으로도 만족한다는 분들은 곧 설명할 '간편한 다이어트 수칙 6'에서 언급되어질 '나쁜 음식'을 될수록 멀리하는 습관의 연습과 꾸준한 펠트니스 운동을 병행함으로써 반드시 각자 개인적으로 원하는 결과를 볼 수 있을 것이라고 나는 확신한다.

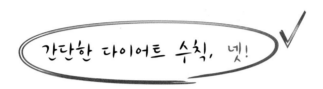

이제 영양소별로 똑똑하고 착한 음식의 종류에 대해 알아보도록 하자.

먼저 에너지원인 복합탄수화물을 함유하고 있는 음식에는 '통밀, 콩, 현미, 고구마, 감자, 단 호박, 과일' 등이 있다. 단 과일은 저녁에 먹는 것은 피한다.

정제되지 않은 곡물은 미네랄, 섬유소, 비타민 등의 영양소가 풍부해서 좀 껄끄럽더라도 반드시 꼭꼭 여러 번 씹어서 천천히 섭취하는 것이 좋다. 또한 이런 작업은 뇌의 운동에도 기여를 하여 치매예방에도 도움을 준다. 이제부터 무엇이든지 빨리 먹게 되면 체지방으로 변한다고 생각하고 천천히 먹도록 하자.

뼈, 근육, 혈액 등 우리 몸의 주요 성분을 구성하고 있는 단백질, 즉, 양질

의 단백질은 식물성과 동물성으로 나눌 수 있는데 '닭고기, 달걀, 돼지고기, 쇠고기, 두부, 콩, 견과류, 우유, 치즈, 생선, 어패류' 등이 있다. 식단마다 단백질 섭취를 반드시 하는 것이 동안몸매의 키워드임을 잊지 않도록 하며 다른 식품이랑 같은 양을 먹어도 탄수화물, 지방보다 열량 섭취량이 적지만 이것도 많이 먹으면 살찔 수 있으니 주의하도록 한다.

좋은 지방의 섭취는 앞서 언급한 대로 중요한데 '참기름, 들기름, 콩기름, 카놀라유, 올리브유, 등 푸른 생선, 콩, 호두' 등이 있다.

무기질이 함유된 식품으로는 콩, 등 푸른 생선, 야채, 해조류, 육류 등에 골고루 함유되어 있다. 비타민C는 키위, 딸기, 오렌지, 피망, 고추, 브로콜리에 다량 함유되어 있으며 비타민E는 아몬드, 시금치, 순무잎, 해바라기씨 등에 많은 양이 함유되어 있다.

간단한 다이어트 수칙, 다섯! ✓

펠트니스 동안 몸매 다이어트에서 꼭 알아야 할 필요한 상식은 바로 항산화 물질에 대한 것인데 바로 항산화물질 섭취가 노화방지의 중요한 역할을 담당하고 있다는 것이다.

내 몸 세포에는 에너지가 나오는 미토콘드리아라는 물질이 있는데 이것이 음식물을 에너지로 전환하는 물질대사의 중요한 원동력이 된다.

즉, 미토콘드리아의 기능에 이상이 생긴다는 사실에서 노화이론이 나오게 되는 것이다. 쉽게 말하자면 미토콘드리아가 음식물을 에너지로 만들 때 활성산소라는 나쁜 부산물이 나오게 된다. 자동차 매연같이 말이다.

즉 우리 몸 안에서 산패가 일어나게 되면서 노화가 일어난다는 것을 말한다.

우리 몸엔 각각의 세포가 수천 개의 미토콘드리아를 가지고 있다. 활성산소는 미토콘드리아의 DNA를 상하게 하고 손상된 미토콘드리아는 더욱 비효율적으로 변해 더욱 많은 활성산소 배출하게 되는 악순환이 일어나게 되며 노화가 더욱 빠르게 진행된다.

산화로 동맥에 녹이 슬게 되면 심혈관이 노화된다. 산화 손상이 발생할수록 더 많은 DNA가 손상되고, 손상된 DNA가 계속 증식해 발전한다.

이런 현상은 늙고 병이 든다는 것을 의미한다.

노화의 원인이 되는 활성산소를 제거하여 산화로부터 우리 세포를 지키는데에 매우 중요한 노화 예방의 열쇠가 있다. 그러니 우리는 이제부터 항산화물질을 함유한 식품을 많이 섭취함으로써 우리 몸의 노화에 대비해야 한다.

'토마토(라이코펜, 비타민A-콜라겐생성), 마늘(셀레늄, 항암, 항노화 양파(글루타티온-산소 전달체, 플라보노이드-비타민C의 작용 50배, 비타민E보다 수백배 강함) 블루베리(콜레스테롤 낮춤) 브로콜리(비타민C, 철분) 딸기. 키위(식이 섬유) 부추, 호두(비타민E보다 2배~15배 많음), 파프리카(비타민C), 시금치(비타민, 무기질 함양 다양), 검정콩(비타민E, 불포화 지방산)' 등의 식품을 될수록 많이 섭취함을 권한다.

한편 우리에게 이것 없이 살 수 없는 것이 있는데 바로 물이다. 우리 몸의 70%를 구성하고 있는 이것이 부족하면 각 기관의 기능이 저하된다.

물은 우리 몸의 체온을 조절하고 각 기관에 영양소를 공급하며 세포에 산소를 전달하는 중요한 역할을 한다. 즉 영양소전달과 노폐물을 배출하는 중요한 역할을 맡고 있으니 칼로리가 0인 물을 정말 충분히 잘 먹어야 한다.

개인별로 필요한 물의 양은 체중 1kg당 30~33mL다. 즉, 자신의 체중에 30을 곱한 양만큼 하루에 나누어서 천천히 마시길 권한다. 물은 될수록 따뜻한 물이 좋다.

따뜻한 물은

❶ 체지방 제거에 효과적이며
❷ 원활한 혈액 순환을 도와 몸을 따뜻하게 만들고
❸ 소화 및 장 활동에 유익하며
❹ 대사기능을 좋게 한다.

80이라는 나이에 30대 같은 아름답고 탄력 있는 바디를 소유한 외국의 어느 유튜브 스타 할머니는 동안 몸매의 첫 번째 키워드가 절대 찬물을 벌컥벌컥 마시지 않는 사실에 있다고 한다. 찬물을 마시면 소화액이 묽어져 소화를 방해하게 되니 식사 전후 1시간은 마시지 않는 것이 좋다.

건강한 물은 동안 몸매를 만드는 원동력이 된다.

간단한 다이어트 수칙, 여섯!

여기까지 동안 몸매를 만드는 펠트니스 다이어트법에 대해 알아보았다. 어쩌면 여러 가지 식품 및 영양 성분이 나와 있으니 어렵고 번거롭게 느껴질 수 있으니 쉽게 실천하는 비법을 지금 소개하려 한다.

"…는 …에 좋다든지…. 어떤 성분이 들어있다든지." 이런 것은 외우려다 보면 벌써 질려서 포기해 버리는 아찔한 상황이 발생할 수 있으니 쉽고 간단하게 생각하는 것이 매우 중요하다.

❶ 나쁜 음식 멀리하기

– 짜고 매운 음식, 단 음식, 흰밥, 밀가루 음식, 떡, 과자, 단 빵, 튀김, 술.

모두 맛있는 음식이지만 주변에 이런 종류의 음식을 좋아하시는 사람들을 살펴보면 거의 모두 복부비만인 경우가 많다. 겉으로는 날씬해 보여도 마른 비만일 것이다. 나도 그런 경우에 해당했다. 근육량이 많은 탄력있는 날씬한 몸매가 되고 싶고 더 이상 질병에 노출되고 싶지 않다면 가능하면 멀리하고 정말 먹고 싶은 날. 3일에 한 번 정도만 먹도록 하자.

❷ 젓가락 사용하여 식사하기 – 국물 좋아하지 않기

❸ 제철음식 해조류 먹기 – 종류별로 골고루 먹기

❹ 제철음식 채소와 과일을 색깔별로 다양하게 먹기

– 채소는 맘껏 먹고 과일은 하루에 1～2개로 너무 많이 먹지 않으며 특히 밤에는 먹지 않는다.

❺ 밥은 현미, 콩 등 본인이 좋아하는 작물을 다양하게 넣은 잡곡밥 먹기

– 외식할 때 잡곡밥을 먹기 어려우므로 철저한 다이어트가 필요할 때, 나 같은 경우에는 가방에 동그랗게 주먹밥을 만들어 넣고 다닌다.

여기까지 동안 몸매를 만드는 펠트니스 다이어트 방법을 설명하였다. 이는 전혀 어렵지 않으며 누구나 실천할 수 있는 건강하고 합리적인 방법이다.

긴장하는 여자가 매력적이다.

PART 4

—

기적의 펠트니스
운동법

펠트니스 서론

펠트니스는 반복적인 근육의 신장, 수축 운동을 통해서 신체 각 부분의 근육과 인대를 강화시키고 신체의 각 기능을 우수하게 하며 관절을 강화시키는 운동이다. 기본 동작의 트레이닝을 통해 근육을 강화시킴으로써 우리몸의 대사작용을 원활히 하여 살이 찌지 않는 체질로 바꾸어 줄 뿐 아니라 특히 골반에 집중된 펠트니스의 고유한 동작을 통해 여성기관이 젊고 건강해 지기 때문에 나이를 초월해 모든 여성이 반드시 해야 할 필수적인 운동이다.

여성스러운 매력을 풍기는 여자가 아름다운 것은 동서고금을 막론하고 변하지 않는 진리이다.

그렇다면 지금부터 이러한 여성성을 건강하게 유지하거나 찾아주어 '여자이고 싶은 여자', 즉 동안 몸매의 아름답고 매력 있는 여자를 만드는 "펠트니스 운동법"을 소개하기로 한다.

운동법은 신체 각 부위별로 이루어져 있으며 앞서 소개한 바른 자세를 유지한 준비자세로 최소 15회에서 20회까지 3세트. 세트 중 30초 휴식을 원칙으로 한다.

다시 말하지만 각 부위별 펠트니스 운동법은 반드시 바른 자세를 유지한 채 부위별 운동법에 해당되는 근육의 긴장을 풀지 않은 상태에서 늘려주고 줄여줌을 반복하는 것이 매우 중요하다.

모든 동작이 그동안 사용되지 않던 근육을 사용하는 것이니만큼 처음에 잘되지 않는 것이 대부분이다. 하지만 반복적으로 꾸준히 석 달 정도 동작을 수행하다 보면 점차 동작이 한결 수월해지며 차츰 여성스럽게 아름다워지는 몸의 변화를 반드시 느낄 수 있으니 제발 꾸준히 연습하길 권한다. 그리고 앞서 언급한 펠트니스 식이요법을 반드시 병행해야 날씬해지는 효과를 볼 수 있음을 꼭 명심해야 한다.

노력하지 않는 건강미인은 없다.

기적의 얼굴, 목, 어깨 펠트니스 운동법

– 작은 얼굴. 긴 목. 아름다운 어깨 만들기

A) 귀여운 꼬꼬 머리 운동　# 작고 갸름한 얼굴과 아름다운 목을 내 것으로~!!

> **준비자세**　❶ 가슴을 머리 쪽으로 올린다고 생각하며 최대한 복부에 힘을 주며 끌어 올린다.
> 　　　　　　❷ 어깨에 긴장을 풀고 시선은 정면을 바라본다.

❶ 앞에 벽이 있다 생각하고 벽에 코끝이 닿는다 상상하며 머리 전체를 앞쪽으로 내민다.

❷ 턱을 끌어당기며 머리 전체를 뒤쪽으로 끌어당긴다.

* 조심하세요~! 어깨가 긴장되지 않도록~ 등이 굽지 않도록~

B) 앙증맞은 으쓱으쓱 운동   # 아름답고 동그란 어깨는 이제 내꺼~!

지겨운 어깨 결림에서 탈출하기

어머니들의 오십견 탈출~

> **준비자세**   ❶ 가슴을 머리 쪽으로 올린다 생각하며 최대한 복부에 힘을 주며 끌어 올린다.
>   ❷ 시선은 정면을 바라보며 양팔을 양옆으로 올린다.

❶ 양쪽 어깨를 위쪽으로 끌어올린다.

❷ 양쪽 어깨를 아래쪽으로 끌어내린다.

* 조심하세요~! 어깨가 내려올 때 힘이 풀어지지 않게 하며 어깨 근육을 쭈욱 늘린다 생각하세요~
   등이 굽지 않도록~

기적의 양팔 펠트니스 운동법

– 탄력 있고 날씬한 어깨와 팔 라인 만들기

A) 아아앙~애교쟁이 운동　# 얏호~! 거북 목, 어깨 통증에서도 해방~!

> **준비자세**　❶ 가슴을 머리 쪽으로 올린다 생각하며 최대한 복부에 힘을 주며 끌어 올린다.
> ❷ 어깨에 긴장을 풀고 양팔을 양옆으로 올린다.

❶ 오른쪽 어깨를 앞으로 민다.

❷ 왼쪽 어깨를 앞으로 민다.

❸ 양쪽 어깨를 교대로 빠르게 실시한다.

B) 우아한 팔 물결 운동 # 날씬하고 탄력 있는 팔 라인으로 민소매 정복~!

오십견도 예방~!

준비자세 ❶ 가슴을 머리 쪽으로 올린다 생각하며 최대한 복부에 힘을 주며 끌어 올린다.
❷ 어깨에 긴장을 푼다

❶ 양쪽 어깨를 윗 방향으로 끌어 올린다.

❷ 올린 어깨를 계속 유지 하며 팔꿈치를 끌어 올린다.(이때 손등이 앞쪽을 향하게 한다)

❹ 손바닥으로 쓸어내리듯 팔을 서서히
   가슴라인까지 밑으로 내린다.

❸ 1과 2자세를 유지하며 손목을 들어
   올린다.(숨을 들이마시며 가슴도 함
   께 올리듯)

* 조심하세요~! 머리가 함께 움직이지 않도록~ 항상 어깨가 먼저 올라가도록~ 어깨에 힘이 들어가지 않도록~

기적의 등, 복부 펠트니스 운동법

– 군살 없이 세련된 뒤태. 탄력 복부 만들기

A) 아이돌처럼~ 섹시 가슴 물결운동   # 등허리 군살은 안녕~ 척추 건강에도 OK~!

> **준비자세** 괄약근을 조이고 복부에 긴장을 유지한다.

❶ 흉추(브래지어 끈 있는 부위)를 최대한 누르며 가슴을 앞으로 내민다. 이때 복부는 힘껏 수축시키며 배꼽을 안으로 밀어 넣는다.

❷ 앞으로 내민 가슴을 최대한 위로 들어 올린다.(조심하세요~턱이 함께 들어 올려지지 않도록~! 배가 최대한 늘어나는 기분을 느끼며 실시하세요)

❹ 3번 자세를 유지한 채 상체 전체를 앞쪽으로 살짝 숙인다.

❸ 등을 동그랗게 말며 최대한 가슴을 안쪽 깊숙이 밀어 넣는다. (조심하세요~턱이 같이 움직이지 않도록~!)

* 조심하세요~ 요추를 함께 움직이지 않도록~! 몸놀림에 따라 턱이 함께 움직이지 않도록~!

B) 최강~ 섹시! 가슴 돌리기 운동 # 탄력 있는 가슴. 등허리 군살은 용납할 수 없다~
내장운동에도 최고~!

준비자세 괄약근을 조이고 복부에 긴장을 유지한다.

❶ 흉추(브래지어 끈 있는 부위)를 최대한 누르며 가슴을 앞으로 내민다. 이때 복부는 힘껏 수축시키며 배꼽을 안으로 밀어 넣는다.

❷ 복부를 힘껏 수축시키며 가슴을 옆으로 민다.

❸ 등을 동그랗게 말며 최대한 가슴을 안쪽 깊숙이 밀어 넣는다. (조심하세요~ 턱이 같이 움직이지 않도록~!)

❹ 복부를 힘껏 수축시키며 가슴을 반대쪽 옆으로 민다.

❺ 1~4 를 연결하여 롤링 동작을 완성한다.

❻ 반대쪽도 같은 요령으로 실시한다.

* 조심하세요~ 동작시 얼굴이 함께 따라가지 않도록! 복부의 힘이 빠지지 않도록~!
  복부의 힘으로 가슴을 미세요.

기적의 괄약근, 하복부 펠트니스 운동법

P **04**
eltness

– 여성 기관 강화하기. 탄력 만점 아랫배와 건강 골반 만들기. 요실금 해소

A) 사랑받는 여자가 되는 양귀비 골반 돌리기 운동 # 사랑받는 여자

여성기관을 건강하게

준비자세 ❶ 가슴을 머리 쪽으로 올린다고 생각하며 최대한 복부에 힘을 주며 끌어 올린다.

❷ 어깨에 긴장을 푼다

❶ 배꼽을 밀어 넣으며(괄약근 힘껏 수축) 골반을 앞의 위쪽으로 끌어들여 올린다.

❷ 하복부를 힘껏 수축시킨 상태로 골반을 우측 위쪽으로 끌어올린다.

❸ 괄약근 및 하복부의 긴장을 풀며 꼬리뼈를 윗 방향으로 들어 올린다.

❹ 하복부와 괄약근을 강하게 수축시키며 골반을 좌측 윗 방향으로 끌어올린다.

❺ 1~4 을 연결하여 롤링 동작을 완성한다.

❻ 반대쪽도 같은 요령으로 실시한다.

* 조심하세요~허리를 사용하지 않도록~! 아랫배에 힘을 주어 골반을 옆이 아닌 윗 방향으로 밀도록~

B) 쉰나 쉰나~! 골반 흔들기 운동 # 튼튼한 척추와 건강한 여성기관을 만들자.
확실한 뱃살 타파~!!!

> **준비자세** ❶ 괄약근을 조이고 복부에 긴장을 유지한다.
> ❷ 힙은 긴장을 푼다.
> ❸ 무릎을 살짝 굽힌다

❶ 오른쪽 골반을 살짝 위로 올린다.

❷ 오른쪽 골반을 내리며 왼쪽 골반을 살짝 위로 올린다.

❸ 교대로 반복한다.

❹ 빠르게 반복한다.

| 적용 동작 | 준비자세와 동일한 자세에서 양발을 함께 점프하며 동작을 실시하세요.

* 주의하세요~! 상체가 같이 움직이지 않도록 힙의 긴장은 풀고 복부의 긴장이 풀리지 않도록 집중하세요!
  허벅지 앞쪽에 긴장을 계속 유지하도록 하세요.

C) 아랫배로 톡톡~!   # 최강의 괄약근 강화운동
귀엽고 섹시한 골반 수직 돌리기 운동   # 변비와 요실금 고민도 이제 그만~!

> **준비자세** ❶ 가슴을 머리 쪽으로 올린다 생각하며 최대한 복부에 힘을 주며 끌어 올린다.
> ❷ 어깨에 긴장을 푼다

❶ 배꼽을 밀어 넣으며 (괄약근 수축) 골반을 앞의 윗 방향으로 들어 올린다.

❷ 더욱 강하게 배꼽을 밀어 넣으며(괄약근 더욱 수축) 골반을 더욱 들어 올린다.

❸ 배꼽을 밖으로 강하게 밀어내며 골반을 아래쪽 방향으로 반원을 그리듯 끌어내린다.

❹ 1~3을 연결하여 골반으로 수직으로 세워진 원을 그리듯 실시한다.

* 주의하세요~! 상체가 같이 따라가지 않도록~! 괄약근과 복부의 힘을 최대한 주었다 빼세요.

기적의 허리, 힙 펠트니스 운동법

– 날씬한 허리선과 애플힙(Apple hip) 만들기

A) 탱글탱글~!   # 여성들의 로망 애플힙(Apple hip), 잘록한 허리선은 이제 내꺼~!

한쪽 힙 윗치기 운동   # 탄력 있고 날씬한 허벅지는 덤으로~!

준비자세 ❶ 가슴을 머리 방향으로 끌어 올린다 생각하고 코너 방향으로 선다.
❷ 발은 코너를 보고 상체는 정면을 향해 선다.
❸ 한쪽 무릎을 허벅지로 지탱하여 많이 굽히고 다른 쪽 무릎은 살짝 굽힌다

❶ 오른쪽 힙 위쪽을 아래에서 위쪽 방향으로 날아오는 공을 받아치듯 힘있게 올려친다.

❷ 힘을 풀며 제자리로 돌아온다.

❸ 반대쪽도 같은 요령으로 실시한다.

---

* 주의하세요~! 허리를 사용하지 않도록 하며 상체가 흔들리지 않도록 하세요~

배를 쏙 밀어 넣고 긴장을 계속 유지하며 실시하세요, 힙 근육에 집중하세요.

B) 탄력 만점~! 힙 아래 치기 운동 # 허리선에서 힙 선에 이르는 매력 만점 라인 만들기
날씬 탄력 허벅지는 덤~!!!

준비자세 ❶ 가슴을 머리 방향으로 끌어 올린다 생각하고 코너 방향으로 선다.
❷ 발은 그대로 코너를 보고 상체는 정면을 향해 선다.
❸ 한쪽 무릎을 허벅지로 지탱하여 많이 굽히고 다른 쪽 무릎은 살짝 굽힌다

❶ 오른쪽 힙을 위에서 아래 방향으로 강하게 내리친다.

❷ 힘을 풀며 제자리로 돌아온다.

❸ 반대쪽도 같은 요령으로 실시한다.

* 주의하세요~! 허리를 사용하지 않도록~! 상체가 흔들리지 않도록 하세요~
배를 쏙 밀어 넣은 채 계속 유지하면서 힙 근육에 집중하며 실시하세요.

C) 야들야들~ 8 그리기 운동 # 날씬한 허리 라인과 골반 건강을 지키자.
골반이 섹시한 여자가 건강하다.

준비자세 괄약근을 조이고 복부에 긴장을 유지한다.

❶ 오른쪽 골반을 앞쪽으로 끌어당긴다.

❷ 1을 오른쪽 코너 방향으로 민다.

117 | 기적의 펠트니스 운동법

❸ 2를 오른쪽 뒤 코너 방향으로 돌린다.

❺ 1~4를 연결한다

❹ 괄약근과 하복부를 강하게 수축시키며 3을 중심으로 끌고 온다.

❻ 반대쪽 골반을 같은 요령으로 연결하여 누운 8자를 골반으로 그리듯 실시한다.

❼ 반대쪽도 같은 요령으로 실시한다.

* 주의하세요~ 상체가 같이 움직이지 않도록~ 가슴을 펴고 어깨에 힘이 들어가지 않도록~ 쏙 들어 간 배가 나오지 않도록~

기적의 힙, 복부 펠트니스 운동법
– 애플힙(Apple hip)과 날씬한 복부 만들기

A) 리드미컬~ 재미있는 힙 교대로 치기 운동   # 애플힙(Apple hip)~

날씬한 다리는 내가 접수한다!!!

> **준비자세**   가슴을 펴고 복부에 힘을 준 상태로 발을 어깨너비로 벌린후 무릎은 살짝 굽힌다.

❶ 괄약근과 복부에 힘을 준 상태로 오른쪽 힙 윗쪽을 강하게 사선 윗 방향으로 친다.

❷ 괄약근과 복부에 힘을 준 상태로 왼쪽 힙 윗쪽을 강하게 사선 윗 방향으로 친다.

> ❸ 교대로 리드미컬하게 반복한다.

* 주의하세요~ 허리를 사용하지 않도록~! 힙에 중점적으로 힘을 줄 수 있도록 연습하세요.
배를 쏙 밀어 넣고 실시 하세요.

B) 라라라~!!! 허리 빠르게 비틀기 운동 # 쉽고 재미있게 만드는 날씬한 허리선~!!!
이렇게 신기할 수가~!!!

> **준비자세** 가슴을 펴고 복부에 힘을 준 상태로 발을 어깨너비로 벌린다. 무릎은 편다.

❶ 오른쪽 골반을 왼쪽 코너쪽으로 비튼다.

❷ 왼쪽 골반을 오른쪽 코너쪽으로 비튼다.

❸ 1, 2 동작을 교대로 빠르게 실시한다.

| 적용 동작 | 준비자세와 동일한 자세에서 양발을 함께 점프하며 동작을 실시하세요.

---

* 주의하세요~! 동작중 배를 쏙 넣어 복부의 힘이 풀어지지 않도록 하세요.
복부의 힘이 강할수록, 비트는 각도가 클수록 효과는 증가해요. 어깨의 긴장을 푸세요.

C) 똑똑똑~ !!! 낙수 물 운동 # 낙수 물에 바위가 패이듯, 이 운동에 허리선이 파인다!
날씬한 허리선 만들기

준비자세 ❶ 가슴을 펴고 복부에 힘을 준 상태로 발을 어깨너비로 벌린다.
❷ 양팔을 머리 위로 올려 양 손바닥을 머리 위에서 마주 댄다.

❶ 몸통을 오른쪽 옆으로 최대한 꺾는다.

❷ 몸통을 왼쪽 옆으로 최대한 꺾는다.

❸ 반복한다.

---

* 주의하세요~! 턱을 숙이지 않도록 하세요. 골반을 몸통과 반대쪽으로 미세요. 어깨의 긴장을 푸세요.

기적의 허리선, 하체 펠트니스 운동법
– 날씬한 허리선과 애플힙(Apple hip), 탄력 허벅지 만들기

A) 섹시한 건강미가 최고~!   # 환상 허리골반, 하체 라인은 내가 접수한다.

라샤~! 골반 크게 돌리며 허리 세워 안기 운동

| 준비자세 | 가슴을 펴고 복부에 힘을 준 상태로 무릎을 살짝 굽혀 발을 어깨너비로 벌린다. |

❶ 오른쪽 골반을 오른쪽 방향으로 민다.(무릎이 벌어지지 않도록 주의)

❷ 가슴을 편 상태를 유지한 채, 괄약근의 힘을 완전히 빼며 힙을 뒤쪽으로 민다. 대퇴부와 바닥이 수평을 이루도록 무릎을 굽히며 편안히 앉는다. (골반이 말리지 않도록 주의)

❸ 앞에서 본 모습

❹ 무릎을 살짝 피며 골반을 좌측으로 민다.

❺ 1~3을 연결한다.

❻ 반대쪽도 같은 요령으로 실시한다.

* 주의하세요~! 복부에 힘이 풀어지지 않도록~! 힙에 최대한 자극을 느끼도록 실시하세요~!
무릎이 앞쪽으로 밀리지 않도록 동작하세요.

B) 여자라면 꼭~!!! 어영차~! 스쿼트 운동

\# 누구나 아는 여자 필수 운동

\# 애플힙(Apple hip) 만들기

\# 어라~! 힙이 이렇게 위에 있는 거였어~???

준비자세

❶ 가슴을 위로 끌어당기고 배꼽을 등에 붙인다 생각하며 복근과 괄약근을 강하게 수축시킨 후 어깨너비로 벌리고 선다.

❷ 발끝은 살짝 바깥쪽을 향하게 한다

❶ 가슴을 세우고 힙을 뒤로 밀며 대퇴부와 바닥이 수평을 이루도록 깊숙이 앉는다.

❷ 힙의 힘으로 일어난다 생각하고 무릎을 피며 일어나 복부와 힙을 강하게 수축시킨다.

* 주의하세요~ 복부의 힘이 빠지지 않도록~! 깊숙이 앉을 때 힙이 안쪽으로 말리지 않도록~! 등이 굽지 않도록~! 양 무릎이 안쪽으로 밀리지 않도록, 무릎이 앞으로 나오지 않도록 하며 힙에 체중이 실리도록 하세요.

C) 일자 몸매에서 벗어나기! 발레리나 운동 # 섹시한 허리, 골반 라인이 나에게~!

준비자세 ❶ 가슴을 펴고 배꼽을 안쪽으로 강하게 밀어 넣는다.
　　　　　❷ 양쪽 발가락을 바깥쪽으로 벌리고 무릎 안쪽을 붙이고 선다.

❶ 힙 바깥쪽과 허벅지에 힘을 주며 무릎을 쭉 펴며 일어난다.

❷ 양쪽 바깥 방향으로 무릎을 굽히며 앉는다.

---

* 주의하세요~ 상체가 앞으로 쏠리지 않도록~! 배에 힘이 빠지지 않도록~!

기적의 하체 펠트니스 운동법
– 하체 비만 해소, 하체 혈액 순환 개선, 탄력있고 날렵한 하체와 예쁜 무릎 만들기

A) 덜덜덜~ 무릎 운동 # 하체 비만 드디어 탈출~ 미니스커트 짱 좋아~!
이젠 다리가 예뻐 행복한 여자

> **준비자세** 가슴을 위로 끌어당기고 배꼽을 등에 붙인다 생각하며 복근과 괄약근을 강하게 수축시킨 후 어깨너비로 벌리고 선다.

❶ 오른쪽 무릎을 앞으로 살짝 내민다.

❷ 내민 오른쪽 무릎을 곧게 펴며 왼쪽 무릎을 앞으로 살짝 내민다.

❸ 교대로 빠르게 실시한다.

* 주의하세요~ 양쪽 무릎이 고른 속도로 교대로 움직여지도록 연습하세요. 복부에 힘을 유지하세요.
가슴을 숙이지 않도록 하세요.

B) 깡총깡총~ 투명 줄넘기 운동

하체 비만 탈출~!

쭉 뻗은 다리에 심폐 건강까지 덤으로~

어라~ 뱃살까지 빠졌네~?

> **준비자세** 가슴을 위로 끌어당기고 배꼽을 등에 붙인다 생각하며 복근과 괄약근을 강하게 수축시킨 후 양발을 붙이고 선다

❶ 양 팔꿈치를 몸쪽으로 붙이고 손목에 힘을 주며 줄넘기를 돌리듯 양팔을 돌리며 점프한다.

❷ 1의 리듬에 맞추어 살짝씩 점프한다.

❸ 빠르게 실시한다.

* 주의하세요~! 복부에 힘이 빠지지 않도록~ 동작 중 무릎의 굽어진 각도를 일정하게 유지하도록~

C) 짝 짝~‼ ~ 스케이트 운동 # 저주받은 하체에서 이젠 축복받을 하체로~
스키니진 사러 가자~‼

> **준비자세** 가슴을 세우고 상체를 앞으로 숙이며 복부에 힘을 준 채 양발을 넓게 벌리고 선다.

❶ 왼쪽 무릎을 펴고 오른쪽 무릎을 굽히며 무게 중심을 오른쪽에 둔다.

❷ 무게 중심을 왼쪽으로 옮기며 왼쪽 무릎을 굽히고 오른쪽 무릎을 편다.

❸ 교대로 실시한다.

---

* 주의하세요~! 무게 중심을 옮길 때 힘이 빠지지 않도록 하세요. 힘을 계속 유지하세요.
복부에 힘이 풀려 상체 자세가 흐트러지지 않도록 하세요.
무릎과 가슴을 쭉 펴고 배를 쏙 밀어 넣은 자세를 유지하는 것~ 잊지 마세요.

D) 꾸욱 꾸욱~! 런지 운동 # 쫀쫀한 다리. 예쁜 무릎~ 애플 힙
마네킹 몸매 부럽지 않아~

> **준비자세** 가슴을 위로 끌어당기고 배꼽을 등에 붙인다 생각하며 복근과 괄약근을 강하게 수축시킨 후 양발을 살짝 벌리고 선다.

❶ 오른쪽 발을 앞으로 딛고 무릎을 땅에 닿지 않게 90도로 굽힌다.

❷ 무릎을 펴며 선다.

❸ 반대쪽도 같은 요령으로 실시한다.

* 주의하세요~! 무릎이 땅에 닿지 않도록~ 무릎이 흔들리지 않도록~ 상체가 흔들리지 않도록~
  무릎의 굽힌 각도가 90도를 유지하도록~ 운동되는 근육의 자극을 느끼도록 하세요~

09 하체 비만에서 정말로 탈출하고 싶다면

eltness

하체 비만은 대부분 하체의 혈액 순환 부족과 부종으로 인해 생기며 생각보다 많은 현대 여성이 심각하게 안고 있는 고민이기도 하다.

이 장에선 특별히 청바지가 어울리는 몸매와는 거리가 먼 하체 비만에서 탈출하는 방법에 대해 소개하고자 한다. 간단히 말하면 여기 설명된 방법을 꾸준히 실천했을 때 당신은 스키니 진을 멋지게 소화하는 섹시한 여자로 재탄생하게 될 것이라 확신한다는 것이다.

적극적으로 하체비만을 탈출하기 위해서는 우선 근본적인 하체 비만의 원인을 알고 이를 제거하는 것이 필수적인 방법이니 반드시 숙지하도록 한다.

❶ 부종의 원인이 되는 수분과 나트륨의 섭취를 제한하여야 한다. 물은 완전히 제한하는 것이 아니라 목이 마를 때만 섭취한다. 되도록 너무 많이 마시지 않으며 음식은 최대한 싱겁게 먹어야 한다.

❷ 음식은 무기질이 많이 함유된 음식을 섭취하여 신체의 밸런스를 유지하는 데 특별히 신경 써야만 한다.

무기질이 많은 음식은 일일이 외울 필요 없다. 그저 여러분이 흔히 알고 있는 이른바 몸에 좋은 음식들이라고 생각하면 편할 것이다. 즉 몸에 좋은 음식을 골고루 많이 섭취하는 것이 중요하다.

특히 미네랄이라 불리우는 칼륨은 나트륨을 배출하며 우리 몸의 삼투압 즉 수분 함량을 조절하여 붓기를 방지함으로써 특히 하체 비만이 고민인 분들은 반드시 챙겨 먹어야 할 영양소이다. 칼륨이 많이 함유되어 있는 식품으로는 대표적으로 미역, 김, 다시마 등의 해조류가 있다. 특히 휴대가 쉬운 조미되지 않은 마른 김을 가지고 다니면서 식사시 섭취하는 것은 매우 좋은 방법이다.

❸ 운동 시작 후 한 달에서 세 달 정도는 지방과 근육의 단단한 느낌의 다리가 부드럽게 풀어질 수 있도록 유산소 운동으로 다리의 지방을 태워주어야 하며 스트레칭으로 혈액 순환을 원활하게 해주어야 근본적인 하체 비만에 도움을 줄 수 있다. 이런 전제 조건 없이 하체 비만인 상태로 스쿼트 등의 근력운동만 하게 되면 오히려 더욱 하체가 두꺼워지는 역효과를 초래할 수 있다. 뭉쳤던 다리의 느낌이 부드러워진 후 하체 근력운동을 병행하도록 한다.

❹ 또한 매일 밤 잠들기 전에 따뜻한 물로 샤워를 함으로써 혈액순환을 촉진시키도록 한다.

하체비만인 여성의 특징은 하체가 잘 붓는 것이다. 하체 비만에서 탈출하기 위한 첫 번째 키워드는 혈액순환촉진과 부종해소에 있으며 이에 원인이 되는 나쁜 습관을 멀리하는 꾸준한 노력으로 충분히 아름답고 날씬한 하체를 가질 수 있다.

특히 밀가루, 튀긴 음식, 짠 음식은 하체 비만의 적이니 멀리 해야 한다는 사실을 명심해야 한다.

아래의 사진은 하체비만을 해소하는 하체 유산소 운동 및 스트레칭 방법이다. 앞서 소개된 펠트니스 하체 운동과 함께 아래에 소개된 미용 체조를 아침저녁으로 꾸준히 실시하면 큰 효과를 볼 수 있다.

청바지가 잘 어울리는 하체 스트레칭 법

* 한 쪽 다리의 무릎을 쭉 편 후 20초 정지.
  반대쪽도 동일하게 실시한다.(등과 무릎이 굽어지지 않도록 주의)

청바지가 잘 어울리는 하체 유산소 운동법

안으로 제기차기

* 제기를 차듯이 무릎을 안쪽으로 접어 좌우 교대로 들어올린다.

밖으로 제기차기

* 무릎을 밖으로 접어 교대로 들어올린다.

내 엉덩이의 단점을 알자

P 10 eltness

− 청바지가 어울리는 애플 힙 만들기

요즘 미의 조건 중 최고는 무엇보다 예쁜 힙이다. 아래에 소개된 힙 운동법을 펠트니스 힙 운동과 병행하여 실시하면 반드시 청바지가 어울리는 입체적이고 동그란 애플힙(Apple hip)을 만들 수 있을 것이다. 시간 날 때마다 꾸준히 집에서 실시하여 매력적인 뒤태 미인이 되어 보자.

앞서 언급안 07, 08 하체 펠트니스 운동법과 함께 자신의 엉덩이 유형에 따라 아래 미용체조를 병행하여 꾸준히 노력한다면 반드시 자신이 원하는 예쁜 힙을 가질 수 있음을 확신한다. 제발 중간에 포기하지 말고 이러한 운동법을 아침저녁으로 20회씩 3세트를 꾸준히 실시하기 바란다.

❶ 옆선이 빈약한 일자 몸매 힙 – 모래시계 몸매로 만드는 운동

＊ 다리를 90도로 접어 옆으로 들어 올린다.
　 힙의 긴장을 느끼며 지탱하고 있는 다리가 흔들리지 않도록 주의한다.

❷ 처진 힙 – 다리가 길어 보이는 힙업 운동

＊ 팔꿈치를 접어 땅을 딛고 무릎을 쭉 편 후, 위 아래로 들어 올렸다 내린다.
　 힙과 허벅지 사이의 긴장을 느끼며 배의 긴장이 풀어지지 않도록 주의한다.

❸ 편평한 힙 – 동그랗고 입체적인 힙 만들기

＊ 다리를 90도로 접어 올린 후, 위 아래로 무릎을 접어 올렸다 내린다.
　 힙의 긴장을 느끼며 배의 긴장이 풀어지지 않도록 주의한다.

PART *5*

펠트니스
성공기

각종 피트니스
비키니 대회를 휩쓴
펠트니스 전도사

"임신하셨어요?"

몇 년 전, 벨리댄스 보급에 한창이던 어느 날 밀린 피로를 풀러 사우나에 갔을 때였다. 전신 마사지를 받으러 마사지 전용 침대에 눕는 순간 관리사가 무심코 내게 던진 한마디. 순간 이 말이 내게 묻는 말인가 의심했지만, 그것이 확실하였다. 당시 부끄럽게도 나름 날씬하다고 자부하며 내 이름으로 된 타이틀을 걸고 다이어트 방송도 하던 시절이었는데 말이다. 난 정말 복부비만이었던 것이다. 에어로빅으로 시작해 댄스 스포츠, 벨리댄스로 이어진 생활 체육인으로의 25년간의 세월을 겪으며 난 항상 근육없이 지방만 있는 마른 비만의 체형에서 벗어 날 수 없었다. 얼핏 보기에 날씬해 보일지 몰라도 감추어진 복부비만과 늘어진 팔뚝 살을 대수롭지 않게 여기며 나는 날씬하다는 착각 속의 세월을 살아온 것이다. 인바디검사에서 매번 복부비만 수치가 정상보다 높이 나오게 되고 이제 주변에서도 심심찮게 '배가 나왔다'는 말을 들을 무렵, 결정적인 관리사의 웃지 못할 오해로 결국 난 충격적인 현실을 직시하게 된 것이다. 게다가 그즈음 몸의 컨디션도 하루가 다르게 무거워지기만 하였다.

이런 경험을 통해 서서히 여성의 건강하고 아름다운 몸에 관심을 갖게 되었고 아팠던 경험까지 겪으며 난 내 몸의 연구와 체험을 시작으로 본격적인 연구를 시작하게 된 것이다.

생각해 보니 힘든 나날을 보내면서도 오뚜기처럼 결코 넘어지지 않았던 것 같다.

여성들에게 맞는 건강과 아름다움을 위해 고통 속에 만들어낸 유일한 여성 전문의 심리적, 물리적 다이어트 '펠트니스'를 통해 '50'이라는 나이에도 불구하고 나는 거의 띠동갑 이상인 젊은 선수들과 경합하여 정말이지 영광스럽고 감사하게도 '2017년 상반기 니카코리아 디바 비키니 TOP 3', '2017 하반기 니카코리아 스페셜 바디상'에 이어 '2017년 하반기 맥스큐 머슬마니아 미즈비키니 클래식 부문 국내 1위', '2017 머슬마니아 세계대회 Fitness America weekend in Lasvegas 세계대회 TOP 3'의 영광을 안게 될 정도로 건강하고 날씬한 바디를 비로소 소유할 수 있었으니 말이다.

사실 2017년 머슬마니아 대회에 출전하기 3년 전까지만 해도 과연 이 나이에 내가 출전할 수 있을까 고민해왔었던 것이 사실이었다. 우선 첫 번째는 예쁘고 젊은 쟁쟁한 선수들과 함께 경합할 수 있을까 하는 두려움이었고 두 번째는 과감한 비키니 의상이었다.

하지만 현재 펠트니스의 보급을 위해 MOU를 맺고 현재 한국에서 유일하게 나의 펠트니스 직강이 이루어지고 있는 '굿라이프 피트니스'의 문용선 대표님의 적극적인 격려로 용기를 내어 나이와 상관없는 여성의 건강한 아름다움의 보급을 위하여 출전하게 되었다.

50이라는 나이에 출전하게 된 내게 항상 '1등감'이라 희망을 주셨던 문 대표님 덕분으로 난 띠동감 이상의 젊고 아름다운 선수들과의 경합에서 1위를 차지하게 되었다. 지면을 통해 굿라이프 문용선 대표님께 감사의 말씀을

전하고 싶다.

그리고 알게 되었다. 운동으로 다져진 여성다운 탄탄한 몸매는 과감한 비키니에도 불구하고 선정적이라기보다 작품에 가까운 예술성으로 비추어 진다는 것을… 난 지금도 부족한 나의 몸을 완벽한 예술작품으로 만들어 보고 싶은 꿈을 가지고 있다. 그래서 안타까운 의상 패널티와 부족했던 나의 몸으로 인해 2017년 피트니스 아메리카 인 라스베가스에서 세계3위에 머물렀던 성적을 펠트니스를 통해 내 몸을 보다 완벽하게 트레이닝하여 2018년에는 본 대회에서 그랑프리를 쟁취하고자 하는 꿈을 꾸고 있다.

그동안 끊임없이 노력하고 좌절해 왔지만 그때마다 난 오뚜기처럼 일어났다.

나는 아픔의 결과물인 펠트니스를 통하여 얻은, 아직도 많이 부족하지만 건강한 아름다움을 나이를 극복한 승리로서 여성들에게 알리고 싶다.

20대부터 많게는 60대에 이르는 폭넓은 여자만의 펠트니스 운동법을 나의 경험을 통해서 널리 알리고 싶다. 여성들에게 나이를 초월한 아름답고 건강한 몸매를 갖고자 하는 도전과 더 나아가 나의 경우처럼 대회 참여로 이어지는 도전의 용기를 주고 싶은 것이다.

혹 나이 때문에, 바쁜 직장 때문에 운동이며 다이어트를 포기하시는 분이 있다면 정말 포기하시지 말라고 진심으로 말씀드리고 싶다. 근육은 나이와 상관없이 본인의 노력에 따라 얼마든지 만들 수 있으니 정말 감사할 뿐이다.

나이가 들수록 복부 쪽에 지방이 쌓이는 것은 사실이지만 여성다운 세로복근은 노력한다면 누구나 소유할 수 있다. 나 또한 40대 중후반의 늦은 나이에서 시작해 꾸준히 노력해 온 결과 지금은 허리둘레가 오히려 처녀 때보다 줄어들었으니 말이다.

여자여~ 도전하라. 물론 한 살이라도 어릴 때 시작하면 더욱 좋지만, 나

❶ 2017 머슬마니아 Fitness America weekend in Lasvegas 세계대회 TOP 3 수상

❷ 2018 맥스큐 머슬마니아 대회 포스터

❸ 2017 맥스큐 머슬마니아 미즈비키니 클래식 국내 1위 수상

❹ 한국대표 선수들과의 기념 촬영

❺ America in Lasvegas 세계대회 인터뷰 모습

이와 상관없이 필요성을 느낀 바로 지금 청바지가 어울리는 동안 몸매로의 첫걸음을 옮겨보라.

탄력 있고 날씬하게 변한 자신의 몸을 감상하며 매만지는 순간에 느껴보는 행복은 그 어떤 산해진미를 맛보는 것과는 정말 비교할 수 없다. 이런 행복감은 순간적인 것이 아니라 근본적인 보람과 자기 자신에 대한 긍지에서 나온 보다 깊은 맛이다. 이를 통해 더욱 나를 사랑할 수 있게 되며, 동시에 자존감과 행복지수 또한 높아지게 되는 것이다.

그동안 많은 회원분들을 지도하면서 줄어드는 허리와 예뻐지는 힙라인을 체험하게 된 그녀들의 눈빛이 행복하게 반짝이고 얼굴 또한 젊고 아름답게 변화되는 것을 많이 보아왔다. 아름다운 그녀들의 펠트니스의 경험에 대한 아낌없는 찬사를 들을 때마다 난 내가 살아있음을 느끼며 이런 보람이 나를 열정으로 이끄는 원동력이 되어 나를 또한 젊게 한다.

이것이 협회의 대표직을 맡고 있지만 지금까지 현장에서 직접 일반 회원분들과 함께 호흡하는 이유인 것이다.

규칙적이지 못한 생리가 정상적이 되어 몸이 한층 가벼워졌다는 B씨,

변비가 놀라울 정도로 해소되었다는 J씨,

우울증이 회복되었다는 A씨,

남편의 사랑을 되찾았다고 수줍게 고백하던 L씨,

납작하기만 했던 힙이 애플힙(Apple hip)이 되었다며 좋아하던 Y양,

작아서 못 입던 옷을 이제는 입을 수 있게 되었다고 행복해 하는 K양,

치질이 없어졌다고 놀라워 하던 Y씨,

지방만 있던 마른 비만에서 탈출하여 이제 피트니스 비키니대회까지 준비하는 J씨,

올라가지 않았던 한쪽 팔이 올라간다며 감탄하던 A씨.

조금만 벌려도 아파서 포기했던 오른쪽 허벅지가 잘 벌려진다며 펠트니스 전도사가 되었다는 C씨.

"난 펠트니스 하는 날만 기다려요."

"운동하는 순간이 너무 행복하고 끝나면 몸이 가뿐해져요."

"어쩜 이렇게 땀이 많이 날 수가 있어요? 사우나에서 흘리는 땀과는 차원이 달라요. 선생님 감사해요." 등등

이런 말들을 들을 때마다 난 정말 그분들께 감사하고 더욱 열심히 해야겠다는 의지와 힘이 솟아난다.

체중만 줄이는 다이어트는 의미가 없다.

여성이 진정으로 건강하고 행복하고 아름다워지는 다이어트를 해야 한다.

여자의 몸은 여자다워야 하며 여성은 여성미를 풍기는 매끈한 잔근육을 가질 때 비로소 아름답다.

남성 여성을 분간하기 어려울 정도의 우람한 근육량을 심사하던 과거 보디빌딩 대회의 풍토에서 현재 여성스럽고 섹시한 비키니 근육을 선호하는 풍토로 바뀌고 있는 추세인 것을 보면 알 수 있다.

당신도 비키니가 어울리는 건강하고 섹시한 몸매를 갖고 싶은가?

25년간 생생한 현장에서 체험하며 연구하여 탄생한 동안 몸매를 만드는 기적의 펠트니스 다이어트를 꾸준히 노력하여 생활화 한다면 누구나 가능하다.

생각은 바로 현실이 된다.

미녀를 심사하며,
미의 관점을 세우다

영광스럽게도 나는 각종 미인대회의 심사를 맡은 적이 여러 번 있다. 그 중 대표적인 미인대회는 단연 미스코리아 심사였다. 성을 상품화한다는 일부 여성단체들의 강한 반발과 기타 다른 이유로 비록 지금은 예전의 인기나 위상을 따라 잡을 수 없지만 수많은 미인대회 중 아직은 대중의 인지도 면에서 앞서는 것이 사실이다.

대회를 심사하며 느낀 것은 정말이지 한국에는 예쁜 여성들이 많다는 사실이었다.

성형기술의 발달이 한몫을 한 것도 사실이지만 성형수술로도 어쩔 수 없는 큰 키와 작은 얼굴 등의 서구화된 외모로 볼 때, 시대가 발달함에 따라서 우리 한국인의 유전자도 함께 발달한 것 같다.

또 하나 느낀 신기한 사실은 직업군, 연령군이 다양한 심사위원의 구성에도 불구하고 소위 진·선·미의 선정대상이 거의 비슷하다는 것이었다. 즉, 각 상이 가지고 있는 이미지에 거의 부합되게 수상자가 선정된다는 사실을 알 수 있었다. 미의 기준을 단순히 평가하여 등위를 매기는(?) 일에 참여한다는 사실이 어쩔 땐 송구스럽기까지 하지만 심사위원들이 매력을 느끼는 미인이 거의 일치한다는 사실에서 시대적 미의 기준이 다를지는 몰라도 사람이 매력을 느끼는 기준은 거의 변하지 않는다는 것을 느낄 수 있다.

　또한, 최고 미인. 즉 그랑프리를 차지했던 미인들이 가지고 있는 공통점이 있다. 신체적 조건이 비슷하다는 전제하에서 그 첫 번째는 아우라가 남다른 미인이 거의 그랑프리를 차지한다는 것이다. 그들은 본인이 경연대상이라는 사실이 아니라 마치 그들은 무대를 자신의 아름다움을 표현하는 수단으로 여기며 즐긴다.
　심사 종목 중 각 후보들이 메이크업을 하지 않은 얼굴로 심사위원 바로 앞에서 순서대로 돌아가며 1분씩 개인 인터뷰를 하는 시간이 있다.
　물론 무대 위의 후보들과 약 50cm 정도 앞에서 마주하며 이야기를 나누는 순간에 후보들의 이미지가 사뭇 다른 경우도 있다. 즉 무대 위에서 빛이 나던 후보가 입을 열고 이야기를 하는 순간에 매력이 반감되는 경우도 있긴 하지만 무대에서 아우라를 발하던 후보들 대부분이 입을 열고 눈빛을 반짝이며 인터뷰에 응하는 순간 마치 하나님께서 인간을 흙으로 창조하시고 호흡으로 생명을 불어 주사 비로소 살아 있는 인간이 되었듯 살아 숨 쉬는 아름다움에 더욱 빛을 발한다.
　젊음 자체만으로 아름다운데 여기에 반짝이는 매력이 살아 있는 미인을 만난다는 것은 정말 기분 좋은 일이 아닐 수 없다.
　자만심이나 교만이 아닌 기분 좋은 자신감은 사람을 더욱 빛나게 한다. 아우라는 바로 이러한 자신감에서 나온다.
　아우라는 짧은 시간 안에 가질 수도 결코 흉내 낼 수도 없다. 평소 어떠한 목표에 대해 자기와의 싸움에서 이긴, 철저한 자기관리가 진정한 아우라를 불러오게 되며 바로 이런 아우라는 사람을 더욱 아름답게 하는 것이다.

▲ 2017 미스코리아 대전충남 수상자들과 함께
▶ 미스코리아 심사

아름다움은 본인의 노력으로 만들어진다. 성형 수술의 발달로 외모를 예쁘게 만들 수는 있어도 의학에만 의지한 외모는 아름다움을 반드시 동반할 수 없다. 타고난 신체적 특성은 차이가 있어도 자신을 바람직하게 사랑하는 방법에는 보다 자신을 아름답게 빛나게 하기 위한 훈련이 뒷받침되어야 하며 이런 훈련을 통해 여성은 내외적으로도 충분히 아름다워질 수 있다.

바른 생각과 바른 자세의 훈련, 바른 식습관과 바른 운동의 훈련, 이런 평상시의 훈련이 자신을 더욱 사랑스럽게 하며 자존감을 높인다.

내가 만났던 최고의 미인들은 타고난 유전자는 물론 훈련이 묻어나는 몸매와 풍기는 말씨와 표정, 긍정적인 에너지로 자신감이 넘쳐나는 매력적인 여성들이었다.

그 미인들은 최고가 되기에 충분했다.

감사와 행복의
동안 몸매 에너지

　나에겐 친구 같은 두 아들이 있다. 큰아들은 올해 29살, 둘째 아들은 올해 25살로 이젠 장성하여 어쩔 땐 고민 상담도 하고 어쩔 땐 데이트도 하고 어쩔 땐 여행도 같이 다니는 내게 친구 같이 든든한 두 아들이다.

　23세 때 엄마가 되었다. 그 시절에도 내 나이가 빠른 편이었는데 갈수록 결혼 연령이 늦어지는 요즘의 추세로 볼 때는 정말로 애가 애를 낳았던 것이다.

　특히 큰아들을 출산했던 당시 철없이 젊은 아빠는 12시 이전에 귀가한 적이 거의 없을 정도로 어린 엄마였던 나를 외롭고 힘들게 했었다. 고향인 서울을 떠나 그리 멀지는 않아도 인천이라는 타지에서 친구도 없이 난 항상 젖먹이 아들과 둘만의 시간을 보냈다. 시간이 흘러 큰아들이 유치원에 가고 둘째 아들을 낳으며 키우는 과정에서도 마찬가지로 난 항상 두 아들과 친구처럼 함께 놀며 시간을 보냈다. 전화위복이라 해야 하나? 귀가가 늦은 아빠는 세 모자(母子)의 친밀도를 높여 주었다. 비교적 시간이 자유로운 프리랜서 강사라는 나의 직업은 아이들을 키우기에 고마운 직업이었다. 우리는 석양이 아름다운 여름 저녁이면 집 근처 예쁜 공원 풀밭으로 곧잘 놀러 나가곤 했었다. 난 아이들과 집에서 재어간 불고기에 밥을 해서 먹고는 돗자리에 누워 그 당시만 해도 꽤 보였던 밤하늘의 별을 보며 풀벌레의 울음소리를 반주 삼아 이야기꽃을 피웠다. 그중 사랑스러운 두 아들의 반짝이는 눈망울에 행복해하며 내가 들려주었던 북두칠성의 전설은 나에게도, 두 아들에게도 아름다운 추억 되어 남아있다.

▲ 〈안녕하세요. 46세 동안 엄마〉 출연, 당시 화제가 되었던 큰 아들과의 비키니 사진
▶ 검색어 순위 1위를 기록

잠이 오지 않는 새벽녘에 우연히 어떤 가수의 뮤직비디오에서 흘러나오던 어떤 발라드 가요에 매료되었던 나는 두 아들과 노래방에서 함께 그 노래를 섭렵하였다. 그 노래는 지금 우리가 함께하는 노래방 애창곡이 되었다. 그 당시 세 모자가 즐겼던 노래방 탐방은 우리에게 추억을 공유할 수 있는 훌륭한 소재가 되어 지금도 아들들과 나를 긴밀하게 엮어준다.

또한 함께 했던 국내외의 여행들도 소중한 추억이 되어 우리들의 대화 소재가 되곤 한다. 특히 큰아들과 둘이 했던 푸켓 여행 당시, 남는 것은 사진이라며 멋진 한 컷의 탄생을 위해 호텔 앞 풀장 한자리에서 자동카메라 셔터를 맞추고 수십 번을 왔다 갔다 하며 겨우 건진(?) 비키니 수영복의 한 컷은 KBS 방송 "안녕하세요. 46세 동안 엄마"에 소개되어 네이버 포털 1위, 그리고 유튜브 조회 수가 200만 건에 이를 정도로 화제가 되었을 뿐 아니라 기타 방송에도 여러 번 소개되어 지금 우리의 추억 1순위가 되었다.

지금은 생각도 나지 않는 작은 일로 다투고 난 후에도 사진은 남겨야 한다는 변함없는 일념으로 굳어진 얼굴을 감춘 채 미소 지으며 찍었던 사진은 우리만의 행복한 에피소드가 되었다.

작은아들과 둘이 했던 중국 일주 또한 애틋한 추억으로 남아 있다. 한증막처럼 무시무시했던 시안의 한여름 아스팔트 위에서 숨 막히듯 뜨거운 열기와 햇볕에도 불구하고 그저 신나고 즐겁기만 했던 자전거 여행, 몽골의 새벽 초원에서 몰려오는 잠을 떨쳐 가며 함께 보았던 보름달과 별들….

'W' 모양의 카시오페아 별자리를 몽골 초원의 밤하늘에서 발견한 나는 공해에 덮여 그동안 잊고 있었던 어릴적 별자리의 추억에 나도 모르게 환호성을 지르며 "카시오페아~! 아직 너 거기에 있었어~~?" 라고 어린아이처럼 소리를 질렀다. 작은아들의 자지러질 듯한 큰 웃음은 새벽의 몽골 초원을 날았고 아직도 생생히 우리 가슴에 남아 있다.

* 작은아들과의 애틋한 추억이 된 중국, 몽골 여행

| 펠트니스 성공기

내가 식단 조절을 하고 열심히 운동을 하고 지치지 않은 긍정의 힘으로 꾸준히 자신을 관리하는 이유 중 하나는 자유여행을 너무나 좋아하는 이유에서이다. 체력이 약하면 만사가 귀찮기 마련이듯 여행조차 귀찮아 질만큼 체력이 떨어지며 나이를 먹는다면 정말 서글퍼질 것이다.

사랑은 추억을 낳고 추억은 사랑을 낳는다. 이렇게 함께 한 추억들이 많았던 덕분인지 두 아들 모두 사춘기 특유의 반항기 없이 잘 자라 준 사실에 한없이 감사하다.

두 아들과 고민과 추억 그리고 신앙심을 공유하며 엄마로서, 기성세대로서의 나 자신을 내려놓고 동등한 인격체로서 함께 하는 순간이 나를 행복하게 하고 또한 나를 젊게 한다.

그들이 좋아하는 것을 함께 호흡으로 느끼고 체험하며 그들의 조언을 어른으로서의 아집을 버리고 진지하게 받아들이려 노력한다. 또한 엄마가 아닌 친구로서 그들의 고민과 함께하며 진실한 대화를 할 때 살아 있음을 느끼며 내 나이를 잊는다.

간혹 착하고 바르게 자라준 두 아들에게 고맙다고 말할 때, 아이들(?)은 이렇게 말한다.

엄마의 교육법은 행여 욕심일지도 모르는 어른으로서의 훈계나 강요가 아니라 진정 우리들 입장에서의 행복과 사랑을 주었다고, 자신도 자신의 아이를 그렇게 키우고 싶다고 말이다. 바쁘다는 핑계로 걸핏하면 짜장면이나 시켜주던 나쁜 엄마를 이렇게 이해해 주고 오히려 엄마로서 최고의 찬사를 아끼지 않는 착한 아들들은 나에게 에너지를 잃지 않게 하는 원동력이자 엔돌핀이다.

그리고 무엇보다도 TV 신년 특집 〈짝〉에 소개되어 한때 '유리알 부부'라는 별명이 붙을 만큼 수많은 위기가 있었지만, 위기를 사랑으로 극복하고, 우리를 든든히 또한 묵묵히 지켜준 사랑하는 남편이 지금은 너무나 고맙다.

젊은 시절의 잦은 술자리와 늦은 귀가 때문에 정말이지 미울 때도 많았지만 성실 그 자체가 매력인 무뚝뚝하지만 의리있고 자상한 남편이기 때문이다.

신년 특집극 〈짝〉 출연 당시 꾸미지 않은 순수한 모습과 쪼그려 앉아 항상 나의 옷을 손빨래 해주던 모습이 그대로 방송되었던 덕분(?)에 남편의 수수함이 그저 야하고 뻔뻔하게만 보였던 나의 겉모습과 비교되어 난 여성들의 비호감의 대상이 되기도 하였다. 남편을 무엇에 비유할 수 있느냐는 인터뷰에서 난 남에게 비추어 질 수 없는 나의 단점을 커버해주고 차가운 바람을 막아준다는 의미에서 '병풍과도 같다'라고 한 적이 있었다. 그러나 그 의미를 남편을 그저 허수아비같이 서 있기만 하는 존재라고 말했던 것이리라 오인한 일부 여성 시청자들의 질타를 받기도 하였다. 하지만 남편은 변함없이 지금도 나에게 마치 병풍처럼 고마운 존재이다.

▲ 〈짝〉에 출연한 손빨래 하는 남편

한때 가정보다 일을 우선시하고 일에 미쳐 살았던 적이 있었다.

하지만 지금은 사랑하는 가족이 우선시 되었고 일은 나의 사명이 되었다.

지금도 사소한 다툼으로 인해 가끔 힘들 때가 있지만 현명하게 대처하는 지혜를 나이를 먹어 가며 깨닫게 되었고 이 또한 감사한 마음을 갖게 된다.

그러므로 나는 내 나이를 사랑한다.

사랑하는 가족과 함께 지혜롭고 건강하게 영글어 가는 것.

이것이 나에게는 동안 몸매로 가는 행복의 길이다.

꿈,
그리고 동안 몸매 시크릿

내 나이 51세.

열심히 공부하고 열심히 놀고 열심히 애들 키우고 열심히 일하다 보니 어느덧 중년의 여인이 되었다.

나는 어릴 때 지금 내 나이 정도의 어른들을 볼 때 그분들이 여자이기 이전에 그저 사람이고 어른이라 생각했었다. 하지만 이제 그만큼의 나이를 먹어가며 느끼는 것은 마음만은 이팔청춘이라는 말이 그냥 있는 말이 아니라 정말 우리들의 마음은 나이를 먹지 않는다는 것이었다. 나도 사실 지금의 내 나이가 실감이 나지 않는다. 많이 먹어야 30대 중반쯤인 것 같은데 어느새 내가 50대 초반의 어르신(?)이 되어 버렸으니 세월은 유수와 같다는 말이 딱 그렇다.

나이를 먹어가며 느낀 건 어릴 때 나의 생각이 죄송하게도, 어리석게도 틀렸었다는 사실…. 나이를 먹어도 여자는 여자라는 사실의 명제이다.

우스갯말로 세상에는 세 종류의 성(性)이 있다는 말이 있다. 바로 여자, 남자, 아줌마. 한때 난 그 말을 무의식중에 동조했었다. 아니 별 관심 없이 흘려들었다는 말이 맞지만 이제 더 나이를 먹으니 이 말은 정말 아니라는 생각이 든다.

사회가 발달하고 시대가 빠르게 변하며 세상은 많이 변했다. 여성의 자존감이 날이 갈수록 높아지고 있는 지금은 말할 것도 없고, 비록 보수적인 사회상에 가리어져 있었지만, 옛날에도 나이와 관계없이 여자는 여자였다. 시대가 발달하며 여자는 보다 아름답고 젊어지길 원한다.

딸 부잣집 막내로서 경쟁에서 뒤처지지 않기 위해서 무관심에서 벗어나기 위해서 사랑받기 위해서 정말 무엇이든 열심히 했고 적지 않은 지금의 나이지만 목표를 향해서 사명을 향해서 꿈을 꾸며 하루 하루를 채워 가고 있다.

피트니스 비키니 선수로서 대회를 준비하며 가족과 함께 간 여행에서조차 기름진 음식 한 점의 유혹까지도 단호히 뿌리칠 때, 가족 휴가 때, 호텔에서 굽 높이가 17센티인 소위 말하는 '킬힐'을 신고 무대 위 포즈 연습에 시간도 잊은 채 몇 시간을 전념할 때, 국내 대회에서 그랑프리를 수상한 지 며칠 되지도 않았는데 또 다시 라스베가스 대회 준비를 준비한다며 남편의 달콤한 치킨 유혹에도 절대 넘어가지 않고 훈련으로 땀을 흘릴 때, 남편은 나의 지독함에 기가 막혀 했다.

세계 대회를 치르기 위한 출국날이었다. 긴장감에 온통 밤잠을 설치고 검푸른 새벽녘을 맞았다. 내 덩치보다 두 배는 큰 캐리어를 챙겨 라스베가스로의 출국을 위해 낑낑거리며 집을 나서는 내게 남편은 진심을 담아 정말로 안타까운 듯이 내게 물었다.

"왜 그러고 사냐…?"

순간 안타까움과 측은함(?)에 젖어 흔들리는 그의 눈을 보며 나도 모르게 이런 말이 튀어져 나왔다.

"그럼 뭐 하고 사냐?"

나의 목표를 향해 어떻게 보면 처절할 정도로 준비를 하고 드디어 D-day 를 맞아 며칠간의 먼 출장을 떠나는 내게 남편으로서 해주는 말이 이것뿐이 없을까라는 순간적인 서운함에 내뱉은 말이었지만 정말 그 당시 나의 이 대 답은 내 삶이 추구하는 많은 의미를 한마디로 집약한 명답이었던 것 같다. 정말 꿈을 향해 살지 않으면 뭐 하고 살까?

남편은 이런 나의 대답에 아무 말 없이 나를 배웅해 주었다.

나는 안다. 무뚝뚝하지만 속 깊은 남편의 침묵이 의미하는 것을….

남편의 침묵은 내게 이렇게 이야기하는 것 같았다.

"당신은 대단해"라고 말이다.

사람들은 묻는다. 동안의 비결에 대해 동안 몸매의 비결에 대해서….

나 자신이 정말 동안인지, 동안 몸매인가? 자신 없지만, 그래도 그렇게 보 아주시는 분들께 너무나 감사드리며 나 자신을 되돌아보고 생각하며 깨닫게 된 사실 첫 번째는 나는 항상 꿈을 꾼다는 사실이었다.

생각해보니 난 51년이라는 생을 살면서 크던 작던 단 한 번도 꿈을 꾸지 않은 적이 없었던 것 같다.

꿈은 목표이다. 야망이 아닌 목표는 이기적이지 않고 초조해 하지 않는다.

야망은 오로지 자기 자신만을 위한 것이지만 꿈은 타인의 행복에서 자신 의 보람을 찾는다.

| 펠트니스 성공기

▲ 펠트니스 일반 수업 모습, 회원들의 반응이 뜨겁다
▶ 펠트니스 보급을 위한 전문인 양성에 심혈을 기울이며

그러므로 야망의 끝은 허무하고 꿈은 이룬 후 더 더욱 행복하다. 한때 벨리라는 분야에서 나름 최고의 자리에 오르기도 하였지만 나의 욕심으로 인한 야망과 이기심에 조급해하고 초조해하였다. 그러면서 무의식중 나 자신은 물론이고 여러 사람을 아프게 하였다. 이런 과거가 다시 되풀이 되지 않도록 난 항상 기도한다.

누구에게나 아픔이 있다. 나 또한 아팠던 과거를 보내며 탄생한 펠트니스 다이어트를 통해 보다 건강하고 아름다운 삶을 원하는 여성들과 앞으로 더 많은 시간을 함께하고 싶다. 뷰티 다이어트 전도사로서 여성들의 자존감을 세워주고 회복시켜주는 일에 때로는 앞장서기도 때로는 보조하기도 하며 또한 이를 위한 전문 강사진과 바디 피트니스 선수 양성에도 내 사명을 다 할 것이다.

나로 인해 행복해하는 이들을 볼 때 비로소 난 내가 살아있는 이유를 느낀다. 끊임없이 꿈이 만들어지고 이를 해낼 수 있다는 사실에 감사하며 또한 이런 감사는 내게 젊은 숨을 쉬게 한다. 세월이 흘러 백발이 되어도 난 크고 작은 꿈을 꿀 것이다. 그 나이에 맞고 상황에 맞는 소박하며 아름다운 꿈을 말이다.

생각은 곧 세계가 되고 세계는 곧 현실이 되어 다가온다.

꿈을 꾸는 자의 눈빛은 반짝이며 색을 잃지 않는다. 그 꿈이 선하다면 무엇이든지 상관없이 그 꿈을 꾸는 자의 눈빛은 긍정적이며 에너지를 발산한다.

그 눈빛은 사람을 모이게 한다.

그동안 많이 아팠다.

아픔을 겪으면서 보다 성숙할 수 있었고 지금도 흐르는 시간에 맞추어 하루하루 영글고 있다.

나는 이렇게 성숙해가며 삶의 경험과 연결된 지혜를 얻을 수 있는 나를 사랑하고 꺼지지 않는 나의 꿈을 사랑한다.

나 자신을 사랑하며 선한 꿈을 꾸는 것.

그것이 '펠트니스 동안몸매'의 시크릿이다.

PART *6*

펠트니스
다이어트
Q&A

여성전문 트레이너로서의 길을 걸어온 지 어언 30년이 되었다.
그동안 현장에서 혹은 일상에서 많은 여성들의 건강과 다이어트에 대한 질문을 받아
왔다. 지금 여기서 그중 많은 이들이 궁금해하던 여성들의 대표적인 질문을 추려서 쉽
고 간단하게 답을 정리해 보았다. 독자들의 건강한 다이어트에 조금이라도 도움이 되
었으면 하는 바람이다.

Q1 운동은 너무 귀찮고 힘들어요. 차라리 안 먹고 빼는 게 나아
요. 안 먹기만 해도 몸무게가 줄던데 식이 요법만으로도 날씬
한 몸매를 가질 수 있겠죠?

대답은 당연히 '노우'예요. 물론 체중 감량만을 목표로 한다면 목표달성이 가능
하겠지만 아름다운 몸매 그리고 건강과는 이별해야 해요. 건강하고 아름답지 않
은데도 그저 체중만 준다는 것이 무슨 의미가 있을까요? 나무를 예로 든다면 통
이 큰 나무를 작은 통으로 자르는 것은 식단입니다. 그러나 이를 아름답게 조각
하는 것은 운동이죠.
청바지가 어울리는 동안몸매에 필요한 것은 날씬함과 탄력 있는 몸매입니다. 그
러므로 식단조절과 운동은 반드시 병행해야 하며 둘 중 하나라도 빠진다면 건강
은 물론이고 탄력 있고 날씬한 몸매는 23살(타고난 몸매는 이 나이까지가 유효
기간이에요) 이후 결별이라 생각해야 합니다.

Q2 뚱뚱한 몸매를 날씬하게 만들고 싶어 오늘부터 웨이트(기구)
운동, 미용체조를 열심히 하려고 하는데 날씬해질까요?

대답은 '노우'예요. 지방이 많은 몸에 웨이트 운동만 열심히 한다면 큰일이죠, 오
히려 덩치만 더욱 크게 될 수 있어요. 큰 덩치 덕에 유산소 운동이 더욱 숨이 차
고 하기 싫어도 다이어트 식단과 동시에 유산소 운동으로 체지방을 소모하는 일
에 전념해야 합니다.
미용체조만 하는 것도 의미가 없어요. 근육을 만든다 한들 체지방에 가려 아무

리 해도 효과가 없는 것 같으니 힘만 빠지고 애써 결심한 다이어트 의욕 또한 상실될 수도 있거든요.

시간은 금이죠. 다이어트 식단과 동시에 유산소운동으로 체지방을 뺀 뒤 차츰 웨이트 운동과 유산소운동에 전념하시면 만족할만한 몸매의 소유자가 되실 겁니다.

Q3 밥을 안 먹고 채소와 닭가슴살만 먹으면 탄력 있고 날씬한 근육을 만들 수 있을까요?

대답은 물론 '노우'예요. 탄수화물은 우리 몸의 첫 번째 가장 중요한 에너지원입니다. 우리가 움직이는 연료의 첫 번째는 바로 탄수화물인 것이죠. 닭 가슴살만으로 활동의 에너지를 보충하는 데에는 턱없이 부족해요. 탄수화물이 부족할 때 우리 몸은 부족한 에너지를 근육에서 가져다 쓰게 됩니다. 바로 '근 손실'이 일어나는 것이죠.

닭가슴살이 근육을 만드는 데 좋다고 하여서 탄수화물을 제한하고 이것과 채소만 먹는 건 아마 잘록한 허리와 탱탱한 힙을 원하기 때문일 것이에요. 하지만 이게 웬일, 오히려 힙은 없어지고 어쩌다 한번 먹은 탄수화물에 즉각 배가 나오며 오히려 소망과는 정반대의 몸을 향해 돌진하고 있을걸요.

우리 몸은 이렇게 가동합니다. 에너지는 엉덩이와 허벅지근육에서 가져와 쓰고 탄수화물이 들어오지 않는 이유를 비상사태로 감지한 우리 몸은 어쩌다 들어온 탄수화물을 비상시에 쓰고자 지방으로 특히 복부지방으로 저장해 버리거든요.

Q4 피트니스센터에 가면 남성의 운동과 여성의 운동에 따로 구분이 없는 것 같은데요? 어떻게 해야 할까요?

남성과 여성의 신체 구조는 완전히 다릅니다. 당연히 각자 다른 운동법이 실시되어야 하죠.

피트니스 운동시 여성은 GX(Group Exercise)를 선호하고 남성은 웨이트 기구를 사용한 운동을 선호합니다. 웨이트 기구를 사용하면 근육이 울퉁불퉁해질 것이라는 잘못된 우려 때문에 근육생성보다는 재미있게 구성된 유산소나 스트레칭 운동으로 만들어진 날씬한 몸매를 선호하는 여성의 성향과 근육질을 선호하는 남성의 성향이 대비되어 나타나는 현상입니다.

체지방을 제거하는 유산소 운동과 근육을 만드는 웨이트 운동을 병행해야 한다는 것은 여성과 남성 모두가 동일하지만, 중량에 따른 횟수의 차이와 남성과 여성의 미적인 기준으로 볼 때 강화시켜야 하는 부위가 다르므로 기구 종류별 사용되는 빈도가 달라야 합니다. 개인별로도 매우 다르구요. 그러므로 운동을 처음 시작할 때에는 전문 트레이너에게 상담과 지도를 받는 것이 정말 중요합니다.

여성의 몸은 매우 섬세해요. 따라서 운동법 또한 남성에 비해 정교하고 섬세해야 하죠. 여성은 반복된 롤링운동으로 관절의 유연성을 늘리고 힙, 하체 근력운동을 더욱 중점적으로 하며 골반 내의 근육을 강화시키는 운동을 필수적으로 병행하여야 합니다.

Q5 어떻게 하면 운동 효과를 높일 수 있나요?

피트니스센터에 열심히 다니며 운동을 몇 년 이상 꾸준히 한 여성들을 많이 보게 됩니다.

하지만 열심히 운동하시는 노력에 비해 오히려 운동을 한 번도 한 적이 없는 몸이라 생각될 정도로 등은 굽고 배는 나와 있는 분이 많습니다. 안타까운 일이죠. 그렇다면 열심히 운동해도 변하지 않는 몸매의 이유는 무엇일까요.

이런 분들의 문제점은 전문 트레이너의 지도가 없는 상태로 올바른 운동법을 숙지 하지 않은 채 운동에 임하는 경우가 많다는 데 있습니다. 그러므로 바른 자세 근육 유지가 안 되어 있는 상태로 트레이닝을 하게 되고 운동할 때 사용되는 근육의 집중력을 인지하지 못하게 됩니다.

예를 들어 러닝머신을 탈 때 등을 구부리고 터덜터덜 걷거나 뛰는 것은 체지방 제거에도 별로 효과가 없을 뿐 아니라 이런 자세는 처진 횡경막이 장을 눌러 굳어지게 함으로써 복부를 볼록하게 만들어 버리게 하죠. 이것은 아름다운 몸매를 만드는 것과는 거리가 있으며 오히려 무릎이나 발목 부상을 당할 수 있는 아주 잘못된 모습이에요. 싸이클을 탈 때 마찬가지로 등을 구부리고 핸드폰을 보며 편안히 페달을 돌리는 분들을 쉽게 찾아볼 수 있는데 그야말로 운동 효과가 제로라고 해도 좋을 만큼 시간 낭비되는 잘못된 운동 방법입니다.

운동은 내 몸의 자세를 근육으로 바르게 하고 운동되는 근육에 정신적으로 집중할 때 비로소 효과가 발휘됨을 명심하세요. 운동할 때 한담이나 핸드폰을 멀리하고 근육의 움직임과 호흡에 집중해야 함을 절대 잊지 않으셔야 합니다(근육 집중의 법칙).

Q6 원래 몸이 굳어 뻣뻣한 체질이라
관절을 돌리거나 근육을 늘리는 운동은 못 해요.

오랜 세월 여성만을 전문으로 지도해오며 가장 많이 들었던 질문 중 하나죠.
피트니스 내에서 시행하는 펠트니스의 운동법은 지루하고 힘든 근력, 유산소 운동을 활기찬 음악과 안무와 함께 그룹 레슨으로 진행합니다. 이로써 재미와 활기를 증진시켜서 보다 쉽고 재미있게 체지방이 제거 되고 여성스러운 근육이 붙어서 청바지가 어울리는 동안몸매를 만드는 데에 의의가 있습니다.
얼핏 보면 어렵게 느껴져 막상 수업에 참여하기에 자신감이 없는 분들께서 많이 하시는 말씀들이죠.
난 이런 말을 들을 때마다 안타까운 마음을 금할 수 없는 것이 이런 질문과 정반대로 오히려 몸이 굳은 분은 운동을 절실하게 해야만 하기 때문이에요. 정말이지 하루라도 빨리 말이에요.
기계도 가동하지 않으면 고장이 나고 녹이 스는 이치와 똑같아요. 이런 분들은 유연성과 근육량을 늘리는 운동을 반드시 해야 합니다.
안 된다는 이유로 점점 운동을 멀리하게 되면 신체 능력은 날이 갈수록 떨어질 것이며 노화가 가속화 될 것입니다. 처음에는 잘되지 않는 것이 당연해요. 하지만 당연하다 생각하고 석 달정도 운동에 참여하다 보면 점점 달라지는 자신의 몸을 확실히 체험하게 될 거예요. 점점 운동의 참맛을 느끼게 되어 활기 있고 아름다운 새로운 삶이 시작될 것입니다.

Q7 난 물만 마셔도 살이 찌는 것 같아요. 살이 잘 찌지 않는 체질의 비결은 뭔가요?

가장 이상적인 다이어트는 빠른 시기에 많은 체중을 감량하는 것이 아니라 천천히 체중을 감량하면서 나의 체질을 결국 살이 찌지 않는 체질로 바꾸는 건강하고 날씬한 몸으로 만드는 것이 중요합니다.

기초대사량이란 소위 아무것도 안 하고 가만히 있을 때 소비되는 에너지의 양을 말해요.

당연히 대사량이 높을수록 에너지의 소비가 많다는 것을 뜻하며 대사량이 높을수록 살이 찔 확률은 낮다는 것이죠.

그럼 대사량을 높이는 방법을 알고 실천하는 것이 건강하고 날씬한 몸매의 비결이 되겠죠!

그 비결은 온몸의 근육량을 늘리는 것에 있습니다. 단 천천히~!

근육은 음식으로 얻은 에너지를 가장 많이 소비시키기 때문이죠.

즉, 근육이 증가하면 그것만으로도 대사가 활발하게 이루어져 지방이 타기 쉬운 몸이 되는 것입니다.

펠트니스 운동의 중요한 특징 중 하나는 근육을 늘리고 근본적으로 살이 찌지 않는 체질로 바꾸는 것에 있습니다.

| 펠트니스 다이어트 Q&A

Q8 근육을 늘리는 식습관을 알고 싶어요?

식습관은 근육뿐 아니라 건강한 삶을 위한 가장 기본이 되는 것이죠.

탄수화물, 단백질, 야채를 끼니마다 먹도록 노력합니다. 밀가루, 설탕, 트랜스 지방, 첨가물 등은 비타민, 섬유소 등의 영양소를 파괴하거나 근육보다는 지방을 만드는 음식이니 슬프더라도 내 몸을 위해서 정말 멀리하셔야 하는 음식들입니다. 음식을 드실 때 단순한 칼로리가 중요하지 않아요. 음식의 영양 성분과 특성을 기본적으로 알아두시고 소위 '깨끗한 음식' 위주로 가려 드시는 착한 식습관을 들이셔야 합니다.

혹 마른 편이라 근육을 늘리고 싶다면 꼭 하루 세끼라는 편견을 버리고 두 끼 정도 더 섭취하셔도 됩니다. 마지막 식사는 9시 이전에 끝내도록 하시고 마지막 식사의 탄수화물은 제한해 주세요.

끼니 때마다 탄수화물과 단백질 그리고 야채 섭취를 필수로 하시고 식간에 견과류로 지방을 보충해 주세요. 과일은 중간 크기의 과일(사과)기준으로 하루 1개로 제한해 주시고 7시 이후의 과일 섭취는 제한해 주세요.

Q9 우리 몸의 지방 중 먼저 빠지는 부분이 어딘지 궁금해요.

체지방은 두 가지가 있는데 내장지방과 피하지방이에요.

그중 내장지방이 먼저 빠진 후 피하지방이 빠지게 된답니다.

내장지방은 조금만 식생활을 개선하면 얼마든지 뺄 수 있어요. 왜냐하면, 내장 근처에서 혈액의 흐름이 비교적 빠르기 때문이지요. 때문에 대사와 분해가 잘되는 습성을 갖고 있어요.

여기에 우리 몸의 큰 근육, 허벅지나 힙을 단련시키는 운동을 하면 내장지방은 더욱 잘 빠진답니다.

Q10 운동 효과가 처음에는 잘 나타나다가 도무지 요즘엔 변화가 없는 것 같아요.

우리 몸도 매너리즘에 빠지면 정체됩니다. 익숙해져 버리니 변화가 없는 것이죠.

이럴 땐 새로운 자극이 필요합니다. 운동시간을 바꾸거나 중량을 늘리고 다양한 운동법의 시도가 중요합니다. 싸이클머신이나 런닝머신도 계속 같은 속도로 타는 것보다 5분은 빨리 5분은 느리게 하는 등 다이나믹하고 변화 있는 운동법으로 바꾸어보세요. 운동시간대도 바꾸어 보시는 것도 좋아요.

몸은 반드시 변합니다.

| 펠트니스 다이어트 Q&A

Q11   운동을 하면 피부도 좋아진다고 하는데 사실인가요?

물론입니다. 운동을 하고 영양분 있는 식사를 하게 되면 근육이 생성되고 근육내에 퍼져있는 수많은 모세혈관으로 인해서 산소와 영양이 단시간에 온몸으로 전달돼요. 그만큼 신진대사가 빨라진다는 것이죠. 그러므로 음식으로 섭취한 영양분은 피부에 즉시 흡수가 되고 피부세포의 재생이 촉진됩니다.
바람직한 영양섭취와 운동은 피부 결은 물론 머리카락도 윤이 나게 합니다.
아무리 비싼 화장품으로 관리하더라도 운동과 영양섭취가 함께 이루어지지 않는다면 흡수율이 낮아지게 되어 효과는 적을 수밖에 없어요.
요즘은 품질과 가격이 착한 화장품이 너무나도 많아요. 비싼 수입 화장품을 사용하는 것도 좋지만, 그보다도 좋은 식품과 바람직한 운동으로 신진대사가 원활한 몸을 만드는 것이 똑똑한 현대의 건강미인일 것입니다.

Q12   스트레칭 운동만으로 날씬해질 수 있을까요?

스트레칭은 굳어지고 경직된 근육을 풀고 짧아진 근육을 길게 만드는 효과가 있어요.
하지만 스트레칭 동작만으로 살을 빼는 것은 불가능합니다. 살을 빼는 것은 식이요법과 유산소운동만으로도 뺄 수 있지만, 살이 찌지 않은 체질로 바꾸고 입체적인 몸의 라인과 탄력을 위해서 중량을 이용한 근력운동을 꼭 해주셔야 해요. 또한, 상해의 방지를 위해서 운동 전후의 스트레칭은 필수이지요.
스트레칭만으로는 절대 살을 뺄 수 없지만 바른 자세를 만들고 우리 몸을 유연하게 하며 굳기 쉬운 근육을 움직여 혈액 순환을 좋게 하여 어깨, 다리 및 허리 통증을 좋게 하는 효과가 있습니다.
그러니 다른 운동과 꼭 병행해 주세요.

Q13 운동은 언제 하는 것이 가장 좋을까요?

본인이 가장 편한 시간입니다. 본인의 생활에 맞는 시간대와 컨디션에 맞게 시작하세요. 운동이 아무리 좋다는 사실을 알아도 시간이 맞지 않으면 할 수 없지요. 시간에 애써 맞추다 보면 작심삼일이 되기 쉽답니다.

아침저녁이든 본인의 생활에 맞추어 시작하세요. 단, 9시 이후의 늦은 운동은 밤에 수면을 유도하는 부교감신경의 작용을 방해하고 교감신경이 활동하게 되면서 불면증을 초래 할 수 있어요. 즉 운동의 중요한 목적인 근육이 생기는 걸 오히려 방해하게 된답니다.

만약 도저히 시간이 나지 않아 센터에 갈 시간이 없으시면 집에서 운동하는 방법도 좋습니다.

본 교재와 동영상을 아침, 저녁 20분 정도씩 매일 꾸준히 따라 하시고 바람직한 자세 및 식생활을 습관화하신다면 건강하고 아름다운 몸매를 가지실 수 있어요.

Q14 팔 근육이 약해 조금만 팔을 올리고 있거나 무거운 걸 들게 되면 심하게 어깨가 결려서 팔을 점점 안 쓰려고 하게 돼요. 바람직한 것인지요?

수업할 때 팔을 올린 채 수행하는 펠트니스 베이직 동작들이 있는데요, 잠시인데도 불구하고 팔이 아파서 따라 하지 못하는 분들을 심심찮게 보게 됩니다. 이런 분들은 대부분 팔을 위로 들어 올리는 데도 불편함을 느끼는 경우가 많습니다. 팔 한쪽의 무게가 2kg 정도인데 이 정도도 지탱하시는 데 힘들 만큼 팔 근육이 약해져 있다는 것이죠.

근육은 늘리고 수축하는 신장, 수축 운동을 통해 혈액순환이 잘되고 산소와 영양분을 공급받게 되어 강해지지요. 우리가 몸이 뻐근할 때 움직여주면 시원해지는 것을 느끼게 되는 이유가 이것입니다.

처음에 절대 무리하지 말고 오히려 물건을 드는 연습을 하셔야 해요. 그리고 팔 근육을 운동으로 풀어줍니다.

1. 어깨를 돌리거나 2. 팔을 쭉 펴서 머리 위로 들어 손을 마주 잡고 20초 그대로 정지, 또한 3. 등 뒤로 손을 깍지 낀 채 마주 잡은 채 등을 곧게 펴고 허리를 90도 앞으로 굽혀 무릎을 편 채 그대로 20초 유지하는 스트레칭 동작을 해 주시면 점점 어깨와 팔이 유연해지고 강해지심을 느낄 수 있어요.

이 책에 나와 있는 펠트니스 운동법을 익히셔서 꾸준히 연습하시면 어깨 결림과 팔의 통증에서 반드시 해방될 수 있습니다.

Q15 무릎이 약해요. 스쿼트를 피하는 것이 무릎 건강에 좋은 것 인가요?

스쿼트는 우리 몸의 60%를 차지하고 있는 대근육인 대퇴부와 힙을 자극하여 탄탄한 힙과 애플힙(Apple hip)을 만들고 에너지 대사량을 증가시켜서 납작한 복부를 만드는 일명 청바지가 잘 어울리는 동안몸매를 만드는 제가 가장 좋아하는 운동입니다.

저도 무릎이 약해 처음 스쿼트를 할 때 통증을 느꼈지만 올바른 스쿼트 방법으로 꾸준히 트레이닝 한 결과 지금은 무릎이 너무나도 건강해졌거든요.

관절의 통증은 관절 자체가 원인인 경우보다 관절을 둘러싸고 있는 관절 주변의 근육과 인대가 운동 및 영양분의 부족으로 약해져 관절을 잘 지탱하지 못해 일어나는 경우가 대부분입니다. 그렇다면 근육과 인대를 건강하게 만들면 무릎도 강해지겠죠?

방법은 뭘까요? 운동과 균형 잡힌 식사입니다. 오히려 운동을 해주셔야 한다는 것이죠.

그렇지만 잘못된 운동은 오히려 건강을 해칩니다.

바람직한 펠트니스 스쿼트 운동법으로 건강과 아름다움의 두 마리 토끼 잡으세요.

Q16 한 부위만 빼는 운동이 가능한가요?

결론부터 말씀드리면 'NO'입니다.

운동은 성형 수술이 아니므로 허릿살만 혹은 팔뚝살만 가려서 뺀다는 것은 불가능해요.

일단은 바람직한 식이요법과 유산소 운동으로 몸 전체를 슬림하게 만들고 질 좋은 단백질을 섭취함과 동시에 개인별로 취약한 부위의 집중적인 웨이트 운동으로 입체적인 몸의 라인을 만들 수 있습니다.

꾸준히 노력한다면 반드시 결실을 맺으실 수 있으며 일단 만들어진 몸은 유지하거나 자칫 무너지더라도 회복시키기 쉬운 몸이 되어 있을 겁니다. 빠른시간에 만들고 싶다는 욕심을 버리고 천천히 꾸준히 하시는 것이 무엇보다 중요합니다.

Q17 날씬하고 탄력 있는 복부를 만들기 위해서 복근 운동보다 오히려 전신 근력운동이 효과 있다 하는데 사실인가요?

그렇습니다. 복근 운동만 해서는 복부지방이 없어지지 않아요.

복부지방을 없애는 가장 효율적인 방법은 유산소 운동과 우리 몸의 큰 근육을 단련시키는 근력운동을 병행하는 것입니다. 근육은 가만히 있을 때도 에너지를 소비할 정도로 에너지 대사량이 증가되도록 합니다. 사실 복부에 있는 근육량은 얼마 되지 않아서 우리 몸의 대사량을 증가시키기에는 미비해요. 우리 몸의 제일 큰 근육인 허벅지 및 힙의 하체 근육을 강화시키면 복부 지방은 함께 감소합니다. 복부 운동은 보다 탄력을 주기 위한 보조적인 역할을 담당하지요. 또한, 허리가 약하신 분들에게 무리가 될 수도 있으니 스쿼트 등의 하체 강화운동을 추천

합니다. 여기에 평상시 가슴을 위쪽으로 끌어 올리고 어깨는 아래쪽으로 끌어내리며 내장기관이 밖으로 밀려 나와 복부가 나오게 되는 현상을 방지하게 되는 자세, 횡경막을 올리는 자세를 생활화한다면 어느덧 여러분은 날씬한 복부 미인이 되어있는 자신을 발견하게 될 겁니다.

Q18 펠트니스 운동 수행 시 주의해야 할 사항은 무엇인가요?

우선 무엇보다도 바른 자세유지가 중요합니다. 가슴을 펴고 어깨의 긴장을 푼 후 배꼽주변 근육에 힘을 주세요.

상체 운동을 할 때에는 반드시 어깨에 긴장을 풀어야 하고 하체 운동을 할 때에는 반드시 허리가 아닌 골반의 사용을 원칙으로 합니다. 즉 하체 운동 시 상체가 흔들리지 않아야 하며 상체 운동 시 하체가 움직이지 않아야 한다는 것이죠. 모든 동작 수행시 운동되는 근육에 집중하시고 더욱 힘을 주셔야 합니다.

일부러 힘을 빼지 않는 모든 수축하는 동작에는 배꼽을 안으로 밀어 넣어 마치 등에 붙는 듯할 정도로 배를 쏙 밀어 넣고 실시해 주세요.

결과적으로 복근을 포함한 코어 근육이 강화되면서 자세는 더욱 바르게 되어 여러분은 더욱 매력적인 여성으로 돋보이게 될 겁니다.

Q19 펠트니스 동작시 여성기관의 수축 이완 자세는 구체적으로 어떻게 실시하나요?

일명 케겔 운동과는 조금 차이가 있지만, 요실금을 방지하고 여성기관을 강화시키는 효과는 동일합니다. 치질 개선 효과는 '덤' 이구요.

수축시킬 때 질 벽과 힙 근육 그리고 항문까지 힘껏 수축시키며 이완 시 완전히 힘을 빼는 것을 원칙으로 합니다.

처음엔 어려워하시는 분이 많으나 반복적이고 꾸준한 수축, 이완 작용이 포함되어 있는 펠트니스 기본 동작 연습으로 나중엔 능숙히 할 수 있게 됨과 동시에 더욱 건강해지고 자신감 넘치는 자신을 만나실 수 있을 거예요.

평상시 이 동작을 꾸준히 자주 실천하시면 펠트니스 동작을 잘 할 수 있게 될 뿐 아니라 여성의 미용과 건강 및 성생활에 매우 바람직한 효과를 보실 수 있습니다.

Q20 손, 발이 차가워 사람들과 악수를 하거나 할 때 민망해요. 운동으로 손, 발의 차가움을 고치거나 예방할 수 있나요?

물론입니다. 25년간의 운동 경력이 있었던 저도 손, 발이 차가워 가뜩이나 악수할 경우가 많은 저의 협회장이라는 위치가 난감해 질 때도 많았답니다. 펠트니스를 직접 현장에서 지도하며 제 운동까지 더불어 실시한 결과 지금은 정말 놀랄만큼 손이 따뜻해져 악수하는 분들에게 확실히 따뜻한 손을 보니 '건강 전도사'답다 라는 칭찬을 들을 때마다 정말 뿌듯하답니다.

원리는 간단합니다. 평소 사용되지 않았던 신체 부분 부분의 작은 근육들을 반복, 집중적으로 운동을 시켜줌으로써 모세 혈관내의 혈액 순환이 활발히 일어남에 따라 자연적으로 손과 발이 따뜻해지는 거죠. 혈액 순환이 활발히 일어난다는 것은 신체 각 부분에게 혈액으로 인한 영양 공급이 수월해진다는 의미로 우리 몸이 그만큼 젊어지고 건강해진다는 의미이기도 합니다.

이렇듯 바람직한 운동은 우리 몸을 더욱 건강하고 아름다워지게 합니다.

Q21 성공적인 다이어트를 위해 가장 중요한 것은 무엇일까요?

가장 중요한 것은 '꾸준함'이에요. 이것은 억지로 되지 않습니다. 절대로요. 꾸준하기 위해서는 내가 다이어트가 절실한 이유를 명확히 하고 계속 상기하시는 것이 무엇보다 중요합니다.

그리고 나의 즐거움을 먹는 것, 쉬는 것이 아니라 납작한 배를 만드는 것, 잘록하고 탄탄한 허리를 만드는 것, 애플힙(Apple hip)을 만드는 것, 예쁜 옷을 마음껏 입는 즐거움으로 바꾸어 보세요.

야식을 이겨낸 후 아침에 쫙 달라붙어 있는 배를 만질 때의 행복은 맛있는 음식을 맛볼 때의 행복과는 질적으로 다른 충만한 자부심과 보람으로 내게 안겨져 온답니다. 그 행복감을 여러분께서도 맛보시길 간절히 원합니다. 행복함의 대상을 '음식'과 '편안함'에서 '몸매'와 '건강'으로 바꾸어 보세요.

생각은 곧 세계입니다. 생각은 꾸준한 노력의 실천으로 얼마든지 바꿀 수 있어요. 다이어트는 어렵다는 생각을 버리시고 나의 몸매의 변화를 즐겁게 감상하며 즐겨보세요.

정체되거나 생각보다 결과(?)가 나오지 않을 때 절대 실망하지 마십시오. 꾸준히 하시면 결과는 반드시 나옵니다. 꾸준한 여러분에게 행복은 찾아오지요.

오늘부터 나의 취미를 '먹는 것' 대신 '몸매 가꾸기'로 바꾸어 보시면 어떨까요?. 즐겁게~ 그리고 꾸준하게~ 즐기는 펠트니스 다이어트로 만들어진 건강하고 아름다워진 나의 모습은 나 자신은 물론 타인도 즐겁게 만들 수 있는 엔돌핀이 되어 여자인 나의 삶을 촉촉하고 아름답게 적셔줄 것입니다.

PART 7

펠트니스
체험기 · 추천사

젊어지고 활력이 넘치는 삶을 살고
싶은 욕망은 누구에게나 있을 것이다

김정희

생기있는 피부, 군살없는 몸매, 청바지가 어울리는 여자.

운동의 '운'자만 들어도 힘든 사람, 여러 가지 운동을 해 보았지만 효과를 보지 못한 사람, 운동에 많은 시간과 노력을 투자했지만 몸에 변화가 없는 사람들은 이 책에 집중하길 개인적으로 바랄 뿐이다. 바로 동안몸매로 가는 모든 비밀이 내가 체험한 펠트니스에 있었으니까 말이다. 운동을 하기 위해 많은 돈도, 훌륭한 장비도 필요 없다. 열정과 시작할 수 있는 용기만 있으면 된다. 나 또한 요가, 필라테스, 현대무용, 벨리댄스, 개인 PT 등 많은 운동을 해 보았지만 몸매에는 변화가 없었다. 하지만 펠트니스를 시작하고 나서 아침에 눈을 뜨고 거울을 봤을 때 어제보다 조금 더 젊어진 나를 보고 희열을 느꼈다. 탄력이 넘치는 피부, 군살 없는 몸매로 변해가는 나를 보며 '이 운동은 젊음을 만들어주는 마중물처럼 마법같은 운동'이라고 생각했다. 협회장님의 수업은 다른 운동수업보다 특별한 3가지가 있는데, 마음가짐, 식이요법, 펠트니스 운동법으로 진행된다.

첫 번째 마음가짐은 긍정적인 마음과 감사하는 마음을 가져야 한다는 것이다. 우리는 인간이기에 누구나 실수를 한다. 실수에 대한 부끄러움과 자책감을 운동을 통해 날려버리고 낮아진 자존감을 상승시켜 긍정적인 마음과 감사하는 마음으로 채워 넣어야 한다고 강조한다.

두 번째 동안피부에 광채를 더해주는 몸에 좋은 음식섭취이다. 자신이 먹고 마신 음식은 좋은 것이든 나쁜 것이든 그대로 피부와 건강에 반영된다. 몸에 좋은 음식 섭취를 통해 노화관련 질병의 위험도 낮추고 건강한 외모와 아름다운 몸매를 가질 수 있다는 것이다.

세 번째는 여성이면 누구나 원하는 젊고 굴곡 있는 몸매를 만드는 펠트니스 운동법이다. 유산소, 근력, 롤링운동 여성만을 위해 과학적이고 체계적인 방법을 통해 만들어진 운동이다. 신나는 음악과 함께 신체 노화를 10년 늦출 수 있다는 유산소 운동으로 세포조직에 영양과 산소를 공급하여 혈액순환이 좋아지고 내장기관이 튼튼해져 건강하고 젊어지게 된다. 근력운동은 나이가 들수록 기초대사량이 떨어지고 근육량이 줄어드는 20대 이후에 꼭 필요한 운동으로 사라지는 근육량을 늘려 몸에 있는 근섬유 조직을 강화하여 군살없는 탄탄한 몸매로 가꿀수 있도록 해주며, 마지막 롤링 운동을 통해 여성기능 강화와 딱딱해지기 쉬운 근육을 부드럽게 이완시켜 여성으로서 매력적이고 굴곡있는 몸매를 만드는 운동이다.

협회장님의 30년 운동 노화우가 모두 들어있는 펠트니스 운동을 따라하다보면 스트레스는 물론 긍정에너지까지 얻을수 있다. 또한 시곗바늘을 거꾸로 돌려 청바지가 어울리는 탄력있는 몸매로 변해가는 자신을 발견하는 기쁨 또한 얻을 수 있다. 우리는 모두 젊어지고 아름다워지길 원한다. 펠트니스는 동안몸매를 원하는 모든 사람들을 위해 꼭 필요한 운동이다. 우리 모두 청바지가 어울리는 그날까지 행복하고 즐거운 도전을 해보자. 하고싶은 열정과 시작하는 용기를 내어보자.

내가 그녀를 처음 만난 건
한 카페에서의 모임이었어요

김희연

내 머릿속에 언니의 첫인상은 일반인이 아닌 연예인 같았어요. 모델 같은 큰 키에 또렷한 이목구비, 작은 얼굴 그리고 당당한 포스는 언니의 아우라를 더욱 빛나게 했죠. 함께 차를 마시고 이야기를 하고 농담 섞인 말투에 가벼운 대화가 오고가면서 언니의 잔잔한 미소와 털털한 모습들을 보면서 편안함을 느낄 수 있는 자리였어요.

그 편안함 속에서 2시간 남짓 시간이 흐르고 모두들 허리를 구부렸다 폈다 하지만 언니의 흐트러짐 없는 곧은 자세는 저를 다시 한 번 놀라게 했던 자리였어요. 그래서 테이블 밑으로 슬쩍 인터넷 검색창에 '추민수'를 쳐 보았답니다. '펠트니스'와 '밸리댄스' 그리고 언니의 나이를 알게 되었으니 처음 만난 자리에서 여러 번 놀라지 않을 수가 없었어요. 운동을 얼마만큼 많이 해야 저런 몸매가 나올까? 밥은 먹을까? 감히 나 같은 사람은 따라도 못할 거야 하는 생각이 머릿속에 가득했죠.

제가 40평생 한 운동이라고는 둘째 낳고 회복되지 않은 몸무게에 너무 많은 스트레스를 받아서 시작한 굶기, 굶으면서 걸었던 한 달하고도 보름 그게 전부였답니다. 운동이라고는 숨쉬기 운동밖에 몰랐고 살은 무조건 굶어서 단시간에 빼는, 등의 초단순한 생각의 소유자였어요. 하지만 40이라는 나이를 넘고 워킹맘으로 두 아이의 엄마로 살면서 하루하루 낮은 체력으로 쉽게 지치게 되더라고요.

이런 생활 속에서 펠트니스를 접하게 되었고요. 일주일에 두 번 40분 운동은 저처럼 바쁘고 운동에 흥미 없는 여성분들에게는 정말 딱이죠. 짧은 시간 큰 운동효과에 대한 호기심과 체력회복에 대한 기대로 시작한 펠트니스는 정말 기대 이상의 효과를 저에게 주고 있답니다. 전 펠트니스를 오래 하지도 않았어요. 고작 6개월 남짓, 언니를 알게 된 것도 8개월 남짓이었죠. 전 펠트니스 홍보대사도 아니에요. 단지, 짧은 시간에 펠트니스를 하면서 제 몸이 반응을 하고 많은 양의 땀이 나고 조금씩 보이는 몸의 변화를 보면서 펠트니스 매력에 빠지게 되었답니다.

누구나 자신만의 운동 스타일이 있고 본인에게 맞는 운동이 있겠지만 운동하는 걸 별로 좋아하지 않는 여성분들, 단시간에 많은 양의 운동효과를 원하시는 여성분들, 튼튼한 근력과 하체 강화를 원하시는 여성분들에게 정말 강력하게 추천하고 싶은 운동이랍니다. 멋진 운동 펠트니스! 펠트니스로 당당한 여인 추민수! 최초와 최고 그리고 최선의 3박자를 다 갖춘 그녀! 머슬매니아 세계 3위의 저력을 보여준 언니의 도전은 같은 여자로서 부럽고 대단하다는 감탄사밖에 나오질 않아요. 펠트니스! 동안 몸매! 언니만 되는 게 아니더라고요. 저도 될 거예요! 동안 몸매!

| 펠트니스 체험기 · 추천사

안녕하세요

조윤경

저는 삶과 배움에 대한 열정과 도전 정신으로 주어진 환경에 무조건 행복하라는 모토를 가지고 펠트니스 지도자 과정을 밟고 있는 조윤경 입니다.

저는 웨딩뷔페 이사직을 맡으면서 일과 공부를 병행하면서 휴식이 부족했던 몸은 체력이 떨어지고 점점 마른비만이 되고 있었는데, 무엇보다 주어진 일들을 성실히 수행하려면 무엇보다 건강과 튼튼한 체력이 절실한 상황이었고 어떠한 길을 가든 건강한 몸과 정신, 균형 잡힌 생활이 삶과 목표의 기본바탕이 되어야 한다고 확신하여 펠트니스를 시작하게 되었습니다.

하지만 처음엔 일이 일 순위, 공부가 이 순위, 막연히 운동은 다음번이라는 생각을 갖고 있었는데 그 변화를 갖게 해주신 분이 제가 존경하는 추민수 협회장님이었습니다. 그동안 건강하다는 저의 자신감은 자만이었으며, 이후 더 잘 먹고 즐겁게라는 두 단어를 머릿속에 되뇌이며 펠트니스와 정확한 식단과 명상을 통하여 운동 시작 후 두 달 만에 정확한 목표치인 8킬로그램을 감량하였고 전문 운동이라는 새로운 분야를 통해 목표체중 감량 달성이라는 개인적인 첫 도전을 이루어 성취감은 물론 그동안 느껴 보지 못했던 펠트니스 운동의 효과에도 더욱 관심을 갖게 되었습니다.

나도 청바지가 잘 어울리는 여자가 되어보자 라는 동기부여로 시작했던 펠트니스는 자세에 집중하여 근육을 자극시키며 생각하며 운동하게 함으로써 평소 아프거나 피곤하다는 무력감 대신 근육신장수축을 통한 근력 및 유연성 향상을 통해 바디 탄력까지 높여 주었고 제게는 의사의 맞춤형 치료와도 같았습니다. 근육이 잘 생기지 않는 체질이었음에도 그 효과를 몸소 체험으로 직접 느낄 수 있었기에 여성에게 정말 좋은 적합한 운동법임을 알게 되었고, 건강은 더 많은 재미와 즐거움을 경험할 수 있는 에너지와 열정을 주었습니다.

무엇보다 펠트니스를 하면서 심신이 점점 깨끗해지고 건강해져가는 변화가 가장 놀라웠고 건강한 몸은 내면의 성숙함도 겸비해야 함을 리마인드 해 주었습니다.

희망을 갖는다는 것은 실망의 위험을 감수하고 반드시 실천해야 이뤄지는 꿈이기에, 삼 순위였던 펠트니스라는 보물장르를 인생이라는 평생의 제 영화 속에 꾸준하고 뚜렷한 중심으로 두고 살겠다는 결심과 포부를 갖게 되었습니다.

진정성 있는 여자로서의 매력을 일깨워 주신 협회장님과 소중한 인연이 되어 일세대 제자가 된 것을 매우 기쁘게 생각합니다. 세계 모든 여성들이 섹시한 입체적 몸매로 여성으로서의 건강한 아름다움을 유지하고 진정성 있는 내적 매력과 가치를 가꾸어 드리는데 도움이 되는 최고의 자질을 겸비한 강사가 되고자 주인의식을 갖고, 거듭나는 변화와 발전을 위해 최선을 다해 도전과 노력을 할 것입니다.

안녕하세요
펠트니스 3기 송인아입니다

송인아

처음엔 여러 가지를 접하고 싶은 마음과 펠트니스를 접한 회원 들의 반응을 듣고 펠트니스를 해보겠다는 생각을 하게 되었습니다. 펠트니스를 배우며 간단한 것 같지만 힘이 들면서 운동하는 부위가 타는 느낌이 강하게 드니 '효과는 정말 좋겠구나'라는 생각이 들면서 펠트니스에 대한 확신을 느꼈습니다. 이제까지 엉덩이 밑살이 너무 밉게 있어서 어떻게 하면 빠질까 항상 고민하고 신경쓰였는데 펠트니스 동작 중 치골과 복근을 사용하는 운동을 하며 엉덩이 밑에 살이 정리되고 전보다 없어지게 된 것을 보았습니다. 한 시간 동안 하고 그 다음 날 효과를 보게 되니 더 하고 싶은 마음도 들고 재미도 쉽게 붙었습니다.

춤을 추는 것처럼 보여도 온 동작에 힘을 주고 부위별 근육을 써야 하니 운동이 되고 노래에 맞춰 운동하니 힘들어도 움직이게 되어 효과도 좋았습니다. 다른 운동을 하면 보여지는 곳이 먼저 정리가 되는데 펠트니스는 어떻게 빼야 할지 모르는 부위도 같이 정리가 돼서 더 만족감과 운동하는 보람을 더 느꼈던 것 같습니다.

추민수 선생님께 펠트니스를 배우며 알려주신 식단으로 다이어트를 하고 있는데 기존에 알고 있던 지키기 어려운 식단이나 먹고 싶은 음식을 무조건 참으며 하는 다이어트가 되어 스트레스 받아 포기하고 싶은 마음이 들지 않고 천천히 꾸준히 효과가 오는 다이어트를 하게 되었습니다. 또한 이론수업 때 어떤 부위의 운동이고 어떤 근육을 사용하는지 어떤 효과가 오는지 가르쳐주시니 운동할 때 써야 하는 근육과 쓰지 말아야 하는 근육을 생각하며 운동하게 되었습니다. 그로 인해 더 정확한 근육을 쓰며 좋은 효과를 보았고 습관이 되어 다른 운동을 하더라도 운동부위, 근육에 집중하며 정확한 자세로 운동하려고 생각하는 습관이 생겼습니다.

추민수 선생님을 만나기 전 원래 다른 분야의 운동강사가 되기 위해 준비 중이었을 때는 그저 '몸을 멋있게 만들어서 다른사람이 나를 찾는 강사가 되어야겠다' 정도 였는데, 추민수 선생님을 만난 후 운동에 대한 폭넓은 시야를 보게 되고 목표도 더 정확하고 높이 생겼습니다.

진짜 아무것도 모르고 그냥 재밌어서 시작한 운동이라 잘 알아보는 것도 없이 무작정 들어가서 좀 더 잘 알아보고 시작할 껄 이란 후회도 많이 했는데 운동하는 방법뿐만 아니라 운동에 대한 것을 배우면서 계속 알아가는 것이 너무 다행이란 생각이 듭니다.

앞으로 펠트니스로 운동해서 나오는 몸이 어떨지 기대가 되고 열심히 해서 펠트니스를 알리는 것에 기여하고 싶습니다.

펠트니스를 만드신 추민수 선생님께 감사드리며 열심히 잘 따라겠습니다! 감사합니다!

추민수 선생님께 보내는 편지

우진이

만나면 좋은사람, 웃음을 주는 사람, 행복을 주는 사람

그저 추민수 이름 하나 믿고 신랑과 함께 벨리댄스를 배우기 위해 학원으로 찾아갔던 6년 전, 선생님을 처음뵈었습니다. 그러나 다른 이유로 다른 학원에서 5년 동안 배운 뒤… 한참 시간을 돌고돌아 제 큰일을 앞두고 도움을 받기 위해 선생님을 찾아갔습니다. 그렇게 다시 만난 선생님에게서 펠트니스를 배운 것이 인생의 터닝 포인트가 되었습니다. 선생님 언제나 함박웃음과 따뜻한 포옹으로 저를 이해해주시고 감사주시며 힘을 주신 선생님… 겉모습의 아름다움이 아닌 내면의 아름다움을 알게 해주신 분. 선생님의 말씀… 검정봉지를 들고 다녀도 몸이 명품이면 사람이 명품이라면서 많은 회원님들께 건강하고 아름다운 라인을 만들어 주시는데 애쓰시면서 펠트니스라는 춤을 만드시고 본인이 직접 몸매를 완성시키는 모습을 보면서 저 또한 그런 강사가 되기로 결심했습니다. 그냥 동네 원장이 아닌, 그냥 춤만 가르치는 강사가 아닌 사랑하는 마음을 담아 아름다운 몸매를 만들어줄 수 있는, 건강하게 미를 지켜줄 수 있는 펠트니스를 추민수 선생님과 함께 노력하고 싶습니다.

펠트니스 화이팅! 선생님 감사합니다.

팰트니스 운동의 기적

강숙희

운동을 싫어해서 젬병인지, 젬병이라 운동을 싫어하는지 모르겠지만 여하튼 운동은 확실히 싫어했다.

그런 내가 몇 해 전 40대 초반에 회사 동료의 강력한 권유로 테니스를 시작했다. 이유는 단 하나 살이 빠진다는 거였다. 성격상 날렵함과 민첩함은 없지만 꾸준함이 있어 그나마 사회생활을 무난히 할 수 있었는데, 테니스에서도 그 성격이 나타났다. 함께한 여자동료는 단시간에 실력이 늘은 반면, 나는 항상 그 자리였지만 꾸준히 3여 년 동안 운동을 했다. 실력은 순식간에 향상 되지 않았지만 파트너가 있는 운동이라 주고받는 재미가 있었고, 아주 조금씩 실력이 느는 재미도 쏠쏠했다. 그런던 차에 어깨 통증이 너무 심하여 더 이상 운동을 할 수 없게 되었다. 결론적으로 근력이 없는 상태에서 테니스의 포워드 백핸드를 반복적으로 사용하다 보니 근육에 문제가 생겼다. 내 몸을 제대로 알지 못하고 운동을 한 결과였다. 그 당시를 회상하면 한참 재미를 느끼고 있던터라 큰 즐거움을 잃은 상실감이란 이루 말할 수 없었다.

그러나 하나의 문이 닫히면 또 다른 문이 열린다고 한다. 6년 전의 어느 날 퇴근길에 벨리댄스 학원 현수막을 보고 도전해 보기로 결심했다. 혼자 가기 불편했지만, 새로운 신세계로의 문을 열었다. 추민수 선생님은 강사로서 탁월하신 분이었다. 훌륭한 신체적 조건은 배우는 수강생들로 하여금 강력한 자극제가 되었고(나도 꼭 저렇게 될 거라는 순수한 믿음) 거기에다 벨리에만 머물지 않고 벨리에 근력 및 피트니스 운동을 접목하여 새로운 아이템 '펠트니스'를 탄생시켰다. 처음 벨리댄스를 할 당시 아무에게도 보여주지도 말하고 싶지도 않은 나만의 비밀이 있었는데, 복부비만이 장난이 아니었다. 선생님께서는 함께 운동을 꾸준히 하면 복부가 서서히 빠진다고 하셨고, 나는 그 말씀을 믿고 열심히 하였다. 그렇게 열심히 할 수 있었던 동기는 펠트니스가 한편으론 힘들었지만 신나고 재미있는 운동이었고, 특히 내 몸 변화에 커다란 성취감을 느꼈기 때문이다.

선생님께서는 항상 '우리는 100세 시대에 살고 있다' 그렇기 때문에 지금부터라도 꾸준히 물리적 몸을 관리해야 한다고 말씀한다. 선생님과 인연을 맺은 지 6년이 지났다. 처음엔 벨리댄스를 배우는 수강생에서 좀더 전문적으로 배우고 싶어 벨리댄스3급 자격증과 펠트니스 자격증도 따게 되었고 내 몸에 대해 더 많이 생각하는 기회가 되었다. 수업시간 선생님의 말씀이 어느 순간 내몸 한곳 한곳에 박혀서 이제는 모든 생활이 운동으로 연결되고 있다. 설거지할 때도 엘리베이터나 신호등을 기다릴 때도 어깨는 내리고, 가슴은 올리고, 괄약근은 긴장시켜 골반은 앞으로 말아 올린다. 20년이 넘는 사무실 생활로 인해 그동안 몰랐던 나쁜 자세로 등은 굽어졌고, 다리는 꼬고 앉았으나, 지금은 항상 의식하며 바르게 펴고 있다.

벤자민 버턴의 시계만 꺼꾸로 가는 것이 아니다. 40대의 늦은 나이에 선생님을 만나 신체 나이를 꺼꾸로 되돌릴 수 있게 해 주신 선생님께 감사를 드린다.

펠트니스의 무궁한 발전을 기원합니다

굿라이프휘트니스 대표
문용선

머슬마니아 대회에서 당당하게 비키니 1위라는 결과를 보여준 추민수 원장님은 50대라는 적지 않은 나이에 밸리댄스 1세대로서의 커리어를 넘어 화려하게 피트니스 입문에 성공해 생활체육인으로서 최고의 모습을 선보였습니다. 추민수 원장님을 처음 뵙고 대화를 나누며 서로 다른 분야에서 생각했지만 궁극적으로 움직임을 통해 몸과 마음을 건강하게 하는 것임을 알 수 있었습니다.

현재의 자리에서 안주하지 않고 여성 건강을 위해 끊임없는 노력으로 펠트니스를 만들고 대중화를 위해 노력하는 추민수 원장님을 보며 언제나 응원을 보내고 있습니다. 또한 머슬마니아 대회를 준비하는 과정에서 봤던 프로의식과 도전정신에 신뢰감과 믿음이 생길 수밖에 없었습니다. 또한 이를 바탕으로 추민수 원장님의 긴 연구와 노력으로 창시된 펠트니스를 굿라이프휘트니스 GX프로그램으로 편성함으로써 새로운 프로그램 부재로 인해 선택의 폭이 좁아진 여성회원들에게 큰 활력소로 다가가고 있음을 증명할 수 있었으며 수준 높은 강사진과 최적화된 소스들로 구성된 펠트니스로 여러 가지 각도의 티칭이 이루어진다면 회원들의 선호도 또한 더 높아질 수 있겠습니다.

앞으로도 펠트니스의 대중화를 위하여 노력하시는 추민수 원장님과 펠트니스의 무궁한 발전을 기원합니다.

추민수대표님의 펠트니스 운동은
한의학에서 말하는 섭생의 원리에 부합하는
매우 좋은 운동입니다

동안미소 한의원
김진혁

펠트니스 운동은 그 이름에서 찾아볼 수 있듯이 골반의 Pelvis와 신체의 아름다움 건강학적 용어인 Fitness의 조합어로서 여성의 신체 각 부위별 집중운동이며, 골반 저근육(peivic floor)강화운동을 포함, 특히 여성기능 강화와 아름다운 바디라인을 만들 수 있는 여성전문 피트니스운동입니다.

한의학에서는 인체의 각 신체경락의 원활한 기의 흐름이 중요해서 사지(四肢) 팔다리 운동도 중요하지만, 오장육부를 지나가는 경락의 교차로에 해당하는 체간(體幹) 몸통이 정말 중요합니다. 오장육부는 심경락, 간경락, 콩팥경락 등 간, 심, 비, 폐신 각기 장부들이 각 체간을 지나 각 사지로 나아가는데, 이때 교차로 역할을 하는 게 체간으로, 우리가 흔히 코어근육이라고 불리는 인체 척추 및 몸통 골반강 부위와 밀접한 연관을 갖습니다.

기존의 운동들은 팔이나 다리 혹은 상체와 하체 이런 식으로 부위별 분류를 많이 하여 외관상 보여주기 위한 해부학적 분류를 통한 구간운동이 많았습니다.

　하지만, 추민수 대표님의 펠트니스는 골반저근육을 비롯한 척추기립근과 흉부, 복부, 체간까지도 강화되는 매우 좋은 운동으로 단순한 운동기능 신장을 넘어서 미용과 건강이라는 두 마리 토끼를 동시에 잡을 수 있는 한의학적으로도 매우 좋은 운동입니다.

　또한 인체는 피부인 겉 표(表)와 내장이 있는 속 리(裏)의 균형도 중요합니다. 표와 리의 기능이나 온도 등의 차이로 사람이 아프거나 몸에 불편함을 가져올 수도 있습니다.

　여름철에 겉은 더운데 차가운 음식을 너무 많이 먹거나 에어컨 찬바람을 너무 맞아서 생기는 식중독이나 냉방병이 그 예입니다. 이때 표리를 맞추는 건강법으로 대표적으로 이열치열이 있습니다. 한여름에 삼계탕 같은 따뜻한 음식을 먹음으로써 겉과 속의 균형을 맞추는 것도 조상들의 지혜라고 볼 수 있습니다.

　펠트니스 운동은 단순히 표의 근육만을 단련하는 것이 아니라 속인 내장과 겉의 근육이 같이 움직이기 때문에 표리의 불균형도 해소하는 효과가 있어서, 스트레스 등을 많이 받고 잠을 잘 자지 못하고 식사를 제때 못하여 자율신경실조 증상을 호소하는 현대인들에게 매우 좋은 건강지킴이입니다.

　동시에 혈류가 잘 통하고 기가 잘 통하면 피부가 좋아집니다. 피부는 내장의 거울이기 때문입니다. 펠트니스 운동을 통해서 현대인들이 동안 미남 미녀가 되고, 동시에 속과 겉이 둘 다 건강한 사람이 되기를 바랍니다.

초판 1쇄   2018년 03월 09일

지은이   추민수
발행인   김재홍
디자인   이근택
교정·교열   김진섭
마케팅   이연실
표지 사진   Chris J Studio

발행처   도서출판 지식공감
등록번호   제396-2012-000018호
주소   경기도 고양시 일산동구 견달산로225번길 112
전화   02-3141-2700
팩스   02-322-3089
홈페이지   www.bookdaum.com

가격   15,000원
ISBN   979-11-5622-356-6 03510

CIP제어번호   CIP2018006428
이 도서의 국립중앙도서관 출판예정도서목록(CIP)은 서지정보유통지원시스템 홈페이지
(http://seoji.nl.go.kr)와 국가자료공동목록시스템(http://www.nl.go.kr/kolisnet)에서 이용하실 수 있습니다.